만나서 반갑습니다!
좋은 일이 생길 거예요!

가슴이 설레는 만남이 아니어도 좋습니다.
가슴이 떨리는 운명적인
만남이 아니어도 좋습니다.
만남 자체가 소중하니까요!

최보규 방탄리더사관학교 창시자

방탄리더사관학교 소개

세상에는 4대 사관학교가 있다. 육군사관학교, 해군사관학교, 공군사관학교, 방탄리더사관학교가 있다. 육군사관학교, 해군사관학교, 공군사관학교는 체계적인 시스템 속에서 군인정신 학습, 연습, 훈련을 통해 정예 장교(군 리더, 군사 전문가)를 육성하는 사관학교다.

방탄리더사관학교는 체계적인 시스템 속에서 방탄 리더십 25가지 시스템 학습, 연습, 훈련을 통해 정예 리더(방탄 리더, 방탄 리더십 전문가)를 양성하는 사관학교다.

누구나 리더가 된다. 하지만 방탄 리더는 아무나 될 수 없다. 누구나 방탄 리더가 될 수 있었다면 난 절대로 방탄리더사관학교를 선택하지 않았을 것이다.

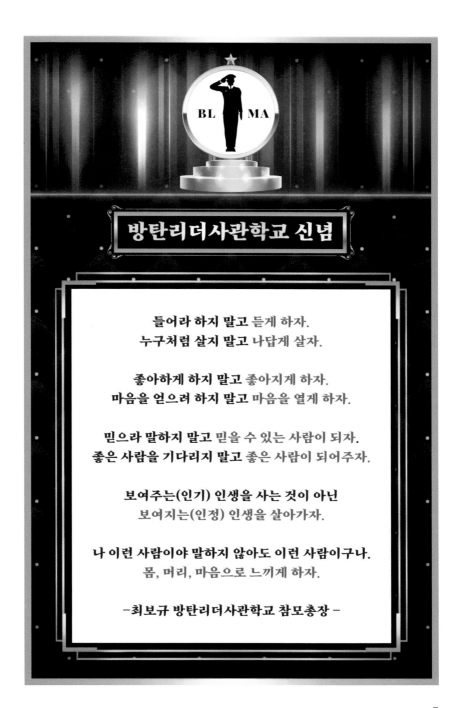

방탄리더사관학교 신념

들어라 하지 말고 듣게 하자.
누구처럼 살지 말고 나답게 살자.

좋아하게 하지 말고 좋아지게 하자.
마음을 얻으려 하지 말고 마음을 열게 하자.

믿으라 말하지 말고 믿을 수 있는 사람이 되자.
좋은 사람을 기다리지 말고 좋은 사람이 되어주자.

보여주는(인기) 인생을 사는 것이 아닌
보여지는(인정) 인생을 살아가자.

나 이런 사람이야 말하지 않아도 이런 사람이구나.
몸, 머리, 마음으로 느끼게 하자.

－최보규 방탄리더사관학교 참모총장 －

방탄리더사관학교 교훈

잘난 리더보다는
진실한 방탄 리더가 되겠습니다.

대단한 리더보다는
좋은 방탄 리더가 되겠습니다.

멋진 리더보다는
따뜻한 방탄 리더가 되겠습니다.

유명한 리더보다는
필요한 방탄 리더가 되겠습니다.

사람만 좋은 리더보다는
삼성(진정성, 전문성, 신뢰성)리더십이 나오는
방탄 리더가 되겠습니다.

－최보규 방탄리더사관학교 참모총장 －

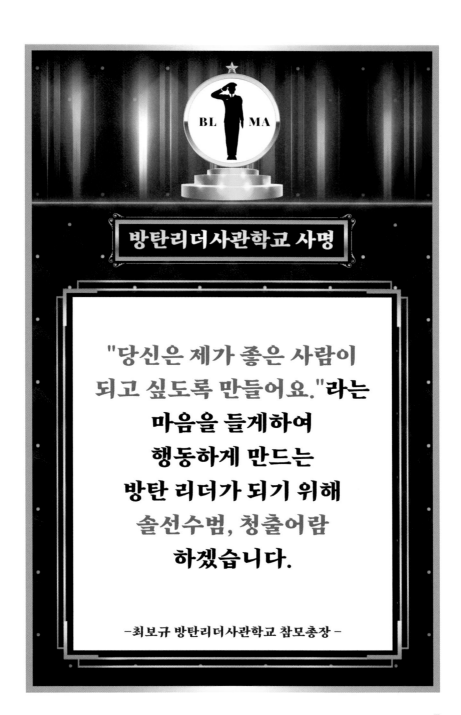

방탄리더사관학교 사명

"당신은 제가 좋은 사람이 되고 싶도록 만들어요."라는 마음을 들게하여 행동하게 만드는 방탄 리더가 되기 위해 솔선수범, 청출어람 하겠습니다.

-최보규 방탄리더사관학교 참모총장 -

방탄리더사관학교
BULLETPROOF LEADER MILITARY ACADEMY

방탄 리더십과

리더 사명감과
- 리더십 식스펙(PT)과
- **리더 소통과**
- 리더십 은퇴 준비과
- **리더 자존감과**
- **리더 행복과**
- 리더 방탄book기술력과
- **리더 강사과**

리더 기본기과
- 리더 감정컨트롤과
- 리더 스토리텔링과
- 리더 천재일우과
- **리더 멘탈과**
- 리더 자기계발, 동기부여과
- 리더 책 쓰기, 출간과
- **리더 코칭과**

리더 태도과
- 리더 인간관계과
- **리더 스피치과**
- 리더 7대 의무교육과
- **리더 습관과**
- **리더 재테크과**
- **리더 유튜버과**
- 리더 인재양성과

★ 《방탄리더사관학교 1》 ★

Class 1. 방탄 리더십과

- 1명의 방탄 리더가 10만 명을 변화시키고 먹여 살린다. 리더는 사라져도 방탄 리더십은 1,000년 간다! 리더의 삼성(진정성, 전문성, 신뢰성)을 업그레이드!

Class 2. 리더 사명감과

- 사명감은 스펙이다. 학습, 연습, 훈련으로 만들어진다.

Class 3. 리더 기본기과

- 리더의 Body(몸) 기본기, Head(머리) 기본기, Mind(마음) 기본기. 기본기는 그림자와 같다. 평생 함께한다.

Class 4. 리더 태도과

- 세상에서 가장 강력한 태도 스펙! 태도 스펙 학습, 연습, 훈련!

Class 5. 리더십 식스펙(PT)과

- 숨만 쉬어도 근손실(근육 손실), 숨만 쉬어도 리손실(리더십 손실) 앞서가는 리더는 리더십PT를 받는다.

Class 6. 리더 감정컨트롤과

- 리더의 감정이 태도가 되면 안 된다. 감정컨트롤 학습, 연습, 훈련

Class 7. 리더 인간관계과

- 리더는 천재지변 인간관계가 아닌 천재일우 인간관계를 해야 한다.

Class 8. 리더 소통과

- 소통에 답이 있는가? 정답은 답이 아니다. 해결책도 답이 아니다. 공감만이 답이다. 공감력을 키우는 방탄소통.

Class 9. 리더 스토리텔링과

- 리더에 스토리텔링(Storytelling)으로 함께 하는 사람을 스토리두잉(Story Doing)하게 만들어야 한다.
스토리텔링을 통해 스토리두잉(Story Doing)을 하지 않으면 스토리는 다 쓰레기 된다!

Class 10. 리더 스피치과

- Body(몸) 스피치, Head(머리) 스피치, Mind(마음) 스피치 학습, 연습, 훈련하는 방법 381가지!

Class 11. 리더 은퇴 준비과

- 평균 희망 은퇴 73세, 현실 은퇴49세 이다. 20대 은퇴 예정자? 30대 은퇴 확정자? 40대 은퇴 위험군? 은퇴십 골든타임!

Class 12. 리더 천재일우과

- 천재일우(千載一遇): 천 년에 한 번 만난다는 뜻으로 좀처럼 만나기 어려운 기회

★ 《방탄리더사관학교 4》 ★

Class 13. 리더 7대 의무교육과

- 직원은 5대 법정의무교육이 필수이고 리더는 7대 의무교육이 필수이다.

Class 14. 리더 자존감과

- 스마트폰은 쓰지 않아도 배터리가 소모되듯 리더 자존감 배터리는 숨만 쉬어도 소모된다. 리더 자존감 초고속 충전!

Class 15. 리더 멘탈과

- 리더 멘탈 7단계! 리더 순두부 멘탈, 리더 실버 멘탈, 리더 골드 멘탈, 리더 에메랄드 멘탈, 리더 다이아몬드 멘탈, 리더 블루다이아몬드 멘탈, 리더 방탄 멘탈.

★ 《방탄리더사관학교 5》 ★

Class 16. 리더 습관과

- 리더십은 이벤트가 아니라 습관이다. 리더십 습관, 꼰대십 습관

Class 17. 리더 행복과

- 리더 행복 심폐소생술! 리더 행복 초등학생, 리더 행복 중학생, 리더 행복 고등학생, 리더 행복 전문 학사, 리더 행복 학사, 리더 행복 석사, 리더 행복 박사, 리더 행복 히어로

★ 《방탄리더사관학교 6》 ★

Class 18. 리더 자기계발, 동기부여과

- 리더는 노오력 자기계발, 동기부여가 아닌 올바른 노력 자기계발, 동기부여를 해야 한다.

Class 19. 리더 재테크과

- 리더의 7가지 재테크는 선택이 아닌 필수다.

★ 《방탄리더사관학교 7》 ★

Class 20. 리더 방탄book 기술력과

- 수입 창출 6가지 시스템! 100세까지 지속적인 수입을 발생시키고 100세까지 현역을 유지시켜 준다.

Class 21. 리더 책 쓰기, 출간과

- 리더 자신 분야 삼성(진정성, 전문성, 신뢰성)을 올리

는 최고의 자기계발은 책 쓰기, 책 출간이다!

★ 《방탄리더사관학교 8》 ★
Class 22. 리더 유튜버과
- 리더는 유튜브가 아닌 나튜브를 해야 한다.

★ 《방탄리더사관학교 9》 ★
Class 23. 리더 강사과(무인 시스템)
- 리더는 프로 강사처럼 말(스피치), 표정, 행동이 나와야 한다.

★ 《방탄리더사관학교 10》 ★
Class 24. 리더 코칭과
- 리더 코칭 10계명(품위유지의무), 리더의 0순위 스펙은 코칭 능력이다.
Class 25. 리더 인재 양성과
- 인재는 오는 것이 아니라 만들어지는 것이다. 인재 양성 시스템이 없으면 인재는 리더를 떠나지만 인재양성 시스템이 있으면 인재는 리더와 100년을 함께 한다.

방탄리더사관학교
BULLETPROOF LEADER MILITARY ACADEMY

방탄리더사관학교
최보규 참모총장

지금처럼이 아닌 지금부터 살게 해주겠습니다.
때를 기다리는 사람이 아닌 때를 만들어가는
사람으로 변화시켜 주겠습니다.
세상에는 최보규 코칭전문가 보다
코칭을 잘 하는 사람 많습니다.
하지만 세상에서 최보규 코칭전문가 만큼
함께 하는 사람을
자립할 수 있을 때까지 케어해주는 사람은 없을 것입니다!

최보규 방탄리더사관학교 참모총장

최보규 대표

상담, 코칭, 강의, 컨설팅 문의
010-6578-8295

현] 방탄자기계발사관학교 창모총장
현] 강사야 대표강사
현] 자기계발아마존 CEO
현] 방탄book 출판사 대표
현] 방탄강사사관학교 코칭전문가
현] 사랑의전화 카운슬러
현] 방탄자기계발 유튜버
현] 최보규상(대한민국 노벨상)창서자

N 최보규

네이버 인물정보 등록 34만 명! (2016년 기준)
대한민국 1% 미만 "네이버 명예의 전당" 인물정보 등록!

전체　　프로필　　최근활동　　도서

프로필　　　　　　　　　　　　　　　　　→

소속	방탄자기계발사관학교/방탄북 (BOOK)출판사(대표)
수상	2016년 제1회 세계를 빛낸 천 사상 대상
경력	방탄자기계발사관학교/방탄북 (BOOK)출판사 대표
	방탄자기계발사관학교 대표
	2012.05~2016.06 사랑의전화 전화상담 자원 봉사자
	2014.11 행복사관학교 대표
사이트	유튜브, 블로그, 네이버TV, 페이스북, 공식홈페 이지
작품★	도서 108건, 관련활동

자기계발서 150권, 전자책 250권 출간으로 삼성(진정성, 전문성, 신뢰성)이 검증된 전문가

Google 자기계발아마존	YouTube 방탄자기계발	NAVER 방탄자기계발사관학교	NAVER 최보규

종이책 150권, 전자책 250권
총 400권 무인 콘텐츠

24시간 무인 시스템

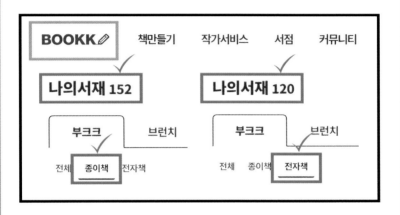

BOOKK✏️   책만들기   작가서비스   서점   커뮤니티

나의서재 152   **나의서재 120**

부크크   브런치   부크크   브런치

전체 종이책 전자책   전체 종이책 **전자책**

유페이퍼   [최보규] 검색어 콘텐츠   159

이번 생에 건물주는 힘들어도
온라인 건물주는 가능하다!
400층 온라인 건물주를 가능하게 만든 시스템!

방탄book기술력

19

방탄자기계발사관학교 소개
1,000,000원

구매하기

PPT로 책 쓰기, 책 출간
200,000원

구매하기

자신 분야 6가지 수입을 창출 방법
200,000원

구매하기

방탄 사랑 사랑 사용 설명서 사랑도 스펙이다
200,000원

구매하기

Google 자기계발아마존 ▶YouTube 방탄자기계발 NAVER 방탄자기계발사관학교 NAVER 최보규

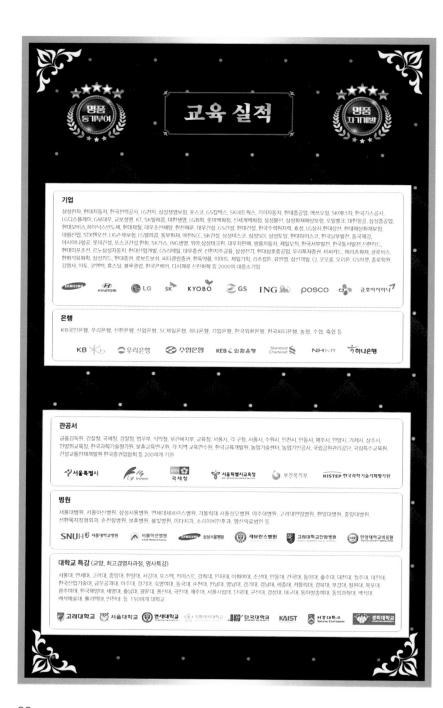

교육 실적

기업

삼성전자, 현대자동차, 한국전력공사, LG전자, 삼성생명보험, 포스코, GS칼텍스, SK네트웍스, 기아자동차, 현대중공업, 에쓰오일, SK에너지, 한국가스공사, LG디스플레이, GM대우, 교보생명, KT, SK텔레콤, 대한생명, LG화학, 롯데백화점, 신세계백화점, 삼성물산, 삼성화재해상보험, 오일뱅크, 대한항공, 삼성중공업, 현대모비스, 하이닉스반도체, 현대제철, 대우조선해양, 한진해운, 대우건설, GS건설, 현대건설, 한국수력원자력, 효성, LG상사, 현대상선, 현대해상화재보험, 대림산업, STX팬오션, LIG손해보험, LG텔레콤, 동부화재, 여천NCC, SK건설, 삼성테스코, 삼성SDI, 삼성토탈, 현대하이스코, 한국남부발전, 한국제강, 아시아나항공, 롯데건설, 포스코건설, 한화, SK가스, ING생명, 위아, 삼성테크윈, 대우자판매, 쌍용자동차, 제일모직, 한국동서발전, 신한카드, 현대미포조선, 르노삼성자동차, 현대산업개발, GS리테일, 대우증권, 신한지주금융, 삼성전기, 현대삼호중공업, 우리투자증권, 비씨카드, 메리츠화재, 글로비스, 한화석유화학, 삼성카드, 현대증권, 로보트와커, 씨티클럽증권, 한독약품, 이마트, 제일기획, 리츠칼튼, 유엔텍, 삼성개발, CJ, 코오롱, 오리온, GS마켓, 종로학원, 김영사, 아토, 코멕텍, 휴스틸, 블루클럽, 한국콘베어, 디시페로 신진화학 등 2000여 대중소기업

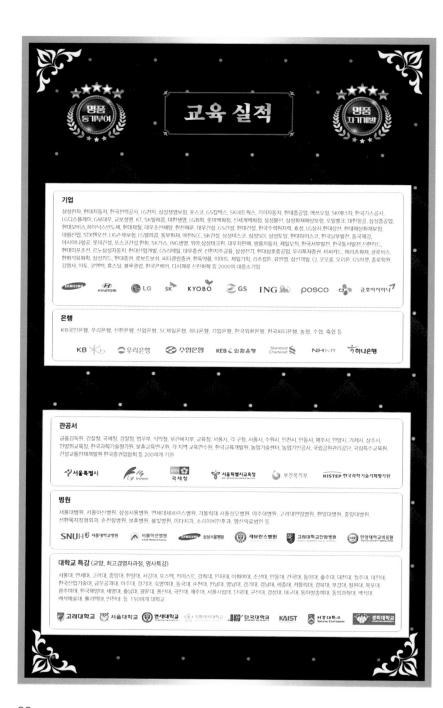

은행

KB국민은행, 우리은행, 신한은행, 신업은행, SC제일은행, 하나은행, 기업은행, 한국외환은행, 한국씨티은행, 농협, 수협, 축협 등

관공서

금융감독원, 검찰청, 국세청, 경찰청, 법무부, 식약청, 보건복지부, 교육청, 서울시, 각 구청, 서울시, 수원시, 인천시, 안동시, 제주시, 안양시, 거제시, 상주시, 민방위교육장, 한국과학기술평가가원, 보훈교육연구원, 각 지역 교육연수원, 한국교육개발원, 농업기술센터, 농업기반공사, 국립공원관리공단, 국립특수교육원, 건설교통인재개발원 한국증권업협회 등 200여개 기관

병원

서울대병원, 서울아산병원, 삼성서울병원, 연세대세브란스병원, 가톨릭대 서울성모병원, 아주대병원, 고려대안암병원, 한양대병원, 중앙대병원, 신한옥자정형외과, 순천향병원, 보훈병원, 봄빛병원, 이다치과, 소리이비인후과, 영신의료법인 등

대학교 특강 (교양, 최고경영자과정, 명사특강)

서울대, 연세대, 고려대, 중앙대, 한양대, 서강대, 포스텍, 카이스트, 경희대, 인하대, 이화여대, 조선대, 안동대, 건국대, 동아대, 충주대, 대전대, 청주대, 대진대, 한국산업기술대, 금오공과대, 아주대, 경기대, 숙명여대, 동국대, 수원대, 전남대, 경남대, 경기대, 경남대, 세종대, 카톨릭대, 경북대, 부경대, 창원대, 목포대, 광주여대, 한국해양대, 세명대, 충남대, 광운대, 용사대, 국민대, 제주대, 서울시립대, 단국대, 군산대, 경성대, 대구대, 동아방송예대, 동의과학대, 백석대, 백석예술대, 울리대, 인천대 등 150여개 대학교

최보규 방탄강사 창시자

저는 입으로 강의하지 않겠습니다.
제 삶으로 강의하겠습니다.
저는 가르치지 않겠습니다.
제 삶으로 가르치겠습니다.
최보규강사는 명강사, 스타강사가 아닙니다!
그래서 한 달에 15권 책을 보고 메모하며
강의 준비, 솔선수범 하고 있습니다!
최보규강사 보다 강의 잘하는 사람은 많습니다!
다만 최보규강사 만큼 학습자를
사랑하는 강사는 세상에 없을 것입니다!

최보규 방탄동기부여 신조

들어라 하지 말고 듣게 하자.
누구처럼 살지 말고 나답게 살자.
좋아하게 하지 말고 좋아지게 하자.
마음을 얻으려 하지 말고 마음을 열게 하자.
믿으라 말하지 말고 믿을 수 있는 사람이 되자.
좋은 사람을 기다리지 말고 좋은 사람이 되어주자.
보여주는(인기) 인생을 사는 것이 아닌
보여지는(인정) 인생을 살아가자.
나 이런 사람이야 말하지 않아도
이런 사람이구나 몸, 머리, 마음으로 느끼게 하자.

경력은 실력이 아닙니다! 최보규 강사는 경력만으로 강의하지 않습니다!
책을 읽고 메모하며 책을 출간 했다고 강의 내공이 좋은 건 아닙니다!
하지만 책 2,032권, 메모 7,626개, 습관 320가지, 책 100권 출간 내공으로
강의하는 강사에 강의 내공은 단언컨대 "세계 최고"일 것입니다!

15년 2,032권 읽음

15년 7,626개 메모

자기계발서 100권 출간

45년 방탄 습관 320가지

최보규 강사 11계명

1. 학습자에게 섬김을 받으려는 강의가 아닌 학습자를 섬길 수 있는 강의를 하겠습니다.
2. 오늘이 마지막 날인 것처럼 강의하고 영원히 살 것처럼 학습자에게 배우겠습니다.
3. 강의 있는 전날에는 최상의 컨디션을 유지 하기 위해 건강관리, 목 관리, 자기관리 하겠습니다.
4. 강의장 1시간 전에 도착해서 강의 마음가짐 준비하겠습니다.
5. 강의장 가장 먼저 도착 강의 끝난 후 가장 늦게 나오겠습니다.
6. 내 삶이 강의고 강의가 내 삶이 되도록 행동하겠습니다.
7. 힘들게 배운 강의 노하우들 아낌없이 주겠습니다.
8. 어떻게 하면 학습자에게 즐거움? 행복? 메시지? 감동? 희망? 사랑?을 줄 것인가에 항상 생각
   하며 공부하겠습니다.
9. TV보다 책을 더 보겠습니다. 10. 공인이라는 마음으로 솔선수범하겠습니다.
11. 강사의 자존심 아침에 나올 때 신발장에 넣고 나오겠습니다.

방탄강사 백신

★ 잘난 강사가 되지 않고 진실한 강사가 되겠습니다!
잘난 강사는 피하고 싶어지지만 진실한 강사는
곁에 두고 싶어집니다!

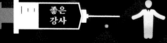

★ 대단한 강사가 되지 않고 좋은 강사가 되겠습니다!
대단한 강사는 부담을 주지만 좋은 강사는
행복을 줍니다

★ 멋진 강사가 되지 않고 따뜻한 강사가 되겠습니다!
멋진 강사는 눈을 즐겁게 하지만 따뜻한 강사는
마음을 데워 줍니다.

★ 유명한 강사가 되지 않고 필요한 강사가 되겠습니다!
유명한 강사는 환상을 주지만 필요한 강사는
배움, 성장, 지혜를 줍니다.

방탄 리더십	7대 동기부여	7대 자기계발	강사 7대 의무교육	책 쓰기 동기부여
리더 7대의무교육	변화,성장동기부여	변화,성장자기계발	강사 인성, 매너	책 출간 동기부여
리더 품위유지의무	비전 동기부여	비전 자기계발	강사 품위유지의무	작가 품위유지의무
리더 은퇴, 재테크	열정 동기부여	열정 자기계발	강사1-3년 차	책 쓰기, 책 출간 10G
리더 동기부여	사원 동기부여	사원 자기계발	강사료 올리기 위한 준	매뉴얼, 시스템.
리더 스피치	임원진 동기부여	임원진 자기계발	비, 스펙 쌓기.	100권 습관으로 월세,
리더 사명감, 인성	직급별 동기부여	직급별 자기계발	강사4-10년 차	연금성 수입 창출전수.
리더 기본기, 태도	사랑 동기부여	사랑 자기계발	강사료 올리기 의한 준	강의 교안으로 책 쓰고
리더 자존감, 멘탈	자존감 동기부여	자존감 자기계발	비, 스펙 쌓기.	책 출간.
리더 습관, 행복	자신감 동기부여	자신감 자기계발	강사10-20년 차	출간한 책으로 강의 교
리더 인간관계	자기관리 동기부여	자기관리 자기계발	강사료 올리기 위한 준	안 작업.
인재 양성 매뉴얼	자기계발 동기부여	자기계발 자기계발	비, 스펙 쌓기.	출간한 책으로 온라인,
리더 감정컨트롤	멘탈 동기부여	멘탈 자기계발	강사 스킬UP	디지털 콘텐츠 제작.
리더 스트레스관리	습관 동기부여	습관 자기계발	강사 트레이닝	6가지 수입을 창출 하
리더 라포형성기법	긍정 동기부여	긍정 자기계발	강의 스토리텔링 기법	는 책 쓰기, 책 출간.
리더 상담기법	인간관계 동기부여	인간관계 자기계발	강의 SPOT 기법	100년 지속 할 수 있
리더 코칭기법	인재양성 동기부여	인재양성 자기계발	강사 양성 매뉴얼	는 기술력을 배우는 책
리더 스토리텔링	행복 동기부여	행복 자기계발	강사 양성 시스템	쓰기, 책 출간.

해보자! 해보자!
자신 가능성을 믿고!

해보자!

해보자!

자신의
사과 씨, 도토리, 포도 씨 믿으세요!

사과 씨 안에 얼마나 많은 사과가 있는지 모른다!
도토리 안에 얼마나 많은 도토리가 있는지 모른다!
포도 씨 안에 얼마나 많은 포도가 있는지 모른다!

29

목차

★★★★★ 방탄리더사관학교 소개 004

★★★★★ 방탄리더사관학교 신념 005

★★★★★ 방탄리더사관학교 교훈, 사명 006

★★★★★ 방탄리더사관학교 25과 소개 008

★★★★★ 방탄리더사관학교 참모총장 014

　　　　　목표, 비전, 스펙, 내공, 가치, 값어치

★★★★★ 방탄리더사관학교 목차 032

★★★★★ 방탄리더사관학교 창시한 이유 036

★ 《방탄리더사관학교 1》 ★

Class 1. 방탄 리더십과 044

- 1명의 방탄 리더가 10만 명을 변화시키고 먹여 살린
다. 리더는 사라져도 방탄 리더십은 1,000년 간다! 리더
의 삼성(진정성, 전문성, 신뢰성)을 업그레이드!

★ 지금까지 알고 있는 리더십은 다 잊어라? 045

★ 리더십의 고, 틀, 선, 편 깨기(고정관념, 틀, 선입견,
　편견) 052

★ 방탄리더십은 노오력 아닌 올바른 노력! 055

★ 국자 리더십? 국자는 국맛을 모른다? 063

★ 짝퉁 리더는 자신을 짝퉁으로 사랑한다. 방탄 리더는
　자신을 명품으로 사랑한다. 066

★ 방탄소년단(BTS)의 리더인 RM(김남준)의 방탄리더

십! 삼성(진정성, 전문성, 신뢰성)리더십! 080

★ 방탄리더십 학습법 2:3:5공식! 리더는 사라져도 방탄 리더십은 1,000년 간다! 089

★ 리더십의 반대는 무능함이 아니라 꼰대십(리더병)이 다? 095

★ 긍정 리더십보다 70배 강력한 리더십? 103

★ 20,000명을 심리 상담, 코칭 하면서 알게 된 꼰대십! 107

Class 2. 리더 사명감과 062

- 사명감은 스펙이다. 학습, 연습, 훈련으로 만들어진다.

★ 사명감 고.틀.선.편 깨기(고정관념, 틀, 선입견, 편견) 사람들 90%가 잘 못 알고 있는 사명감! 063

★ 세계 최초! 사명감 만드는 방법, 공식! 170

Class 3. 리더 기본기과 222

- 리더의 Body(몸) 기본기, Head(머리) 기본기, Mind (마음) 기본기. 기본기는 그림자와 같다. 평생 함께한다.

★ 20,000명 심리 상담, 코칭 하면서 알게 된 리더 기 본기의 비밀! 기본기 고.틀.선.편 깨기 (고정관념, 틀, 선입견, 편견) 손흥민 선수의 Body(몸) 기본기, Head(머리) 기본기, Mind(마음) 기본기 223

★ 세계인구 80억 인구라면 80억 가지 기본기. 기본기는 그림자와 같다. 평생 함께한다. 249

Class 4. 리더 태도과 270
- 세상에서 가장 강력한 태도 스펙! 태도 스펙 학습, 연습, 훈련!
★ 20,000명 심리 상담, 코칭 하면서 알게 된 리더 태도의 비밀! 태도 고.틀.선.편 깨기 (고정관념, 틀, 선입견, 편견) 271
★ 세상에서 가장 강력한 태도 스펙! 어떻게 학습, 연습, 훈련할 것인가? 276

Class 5. 리더십 식스펙(PT)과 308
- 숨만 쉬어도 근손실(근육 손실), 숨만 쉬어도 리손실(리더십 손실) 앞서가는 리더는 리더십PT 받는다.
★ 리더십 식스펙 고.틀.선.편 깨기! 식스펙 고.틀.선.편 깨기! (고정관념, 틀, 선입견, 편견) 309
★ 리더십 식스펙을 만드는 핵심 요소! 324

★★★★★ 방탄리더사관학교 인재 양성 교육, 코칭 시스템 345

■ 참고문헌, 출처 375

방탄리더사관학교
BULLETPROOF LEADER MILITARY ACADEMY

방탄 리더십과

리더 사명감과	리더 기본기과	리더 태도과
리더십 식스펙(PT)과	리더 감정컨트롤과	리더 인간관계과
리더 소통과	리더 스토리텔링과	리더 스피치과
리더십 은퇴 준비과	리더 천재일우과	리더 7대 의무교육과
리더 자존감과	리더 멘탈과	리더 습관과
리더 행복과	리더 자기계발, 동기부여과	리더 재테크과
리더 방탄book기술력과	리더 책 쓰기, 출간과	리더 유튜버과
리더 강사과	리더 코칭과	리더 인재양성과

방탄리더사관학교를 창시한 이유는 세종대왕님이 한글을 창시한 이유와 같다.

세종대왕님이 한글을 창시한 이유는 한 문장으로 말을 한다면 백성을 사랑해서다.

훈민정음 서문
우리나라의 말과 소리가 중국과 달라 한자와 서로 통하지 않는다. 그러므로 어리석은 백성들이 말하고 싶은 바가 있어도 그 뜻을 펴지 못하는 이가 많다. 내가 이를 불쌍히 여겨 새로 스물여덟 자를 만드노니 사람마다 쉽게 익혀 나날이 쓰기에 편하게 하고자 할 따름이니라.

최보규 방탄리더사관학교 참모총장이 방탄리더사관학교를 만든 이유를 한 문장으로 말을 한다면 "함께 하는 사람을 사랑하고 함께 잘 되고 잘 살자"라고 할 수 있다.

지금 3고(고물가, 고금리, 고환율) 시대, AI 시대, 챗GPT 시대, 숨만 쉬어도 200만 원 ~ 300만 원이 나가는 시대, 평균 희망 은퇴 73세, 현실 은퇴 나이 49세 시대... 점점 더 힘들고 어려워지는 시대다. 지금 상황을 극복하기 위해서는 일반 리더십으로는 힘들다. 강력한 리더십이 필요하고 노오력 하는 리더가 아닌 올바른 노력을 하는 방탄 리더가 절실하게 필요한 시대다.

나쁜 개는 없다. 나쁜 견주만 있다. 견주십!
나쁜 자녀는 없다. 나쁜 부모만 있다. 부모십!
나쁜 직원은 없다. 나쁜 리더만 있다. 리더십!

모든 것은 리더십에서 시작된다는 것이다. 지금 시대는 위치가 사람을 만드는 경우보다 위치가 사람을 망치는 경우가 더 많다. 리더 위치에서 끊임없이 리더십 학습, 연습, 훈련하지 않으면 리더를 망치고 리더와 함께 하는 사람들까지 망쳐버린다. 그 무엇보다 리더십은 체계적으로 배워야 하는데 현실은 어떤가?

20,000명 심리 상담, 코칭 하면서 알게 된 것은 체계적인 시스템 없는 인스턴트 리더 책, 인스턴트 리더 교육으로 인해 건강한 리더십, 현명한 리더십이 아닌 늘 그때뿐인 인스턴트 리더십에 중독되어 리더들의 몸, 머리, 마음까지 썩고 있다는 것이다.

리더십의 본질을 알아야만 노오력이 아닌 올바른 노력

을 할 수 있다.

운동의 본질은 헬스, 운동의 기본기를 배우지 않는 사람이 좋은 헬스장으로 옮긴다고 헬스, 운동 습관이 만들어지는 것이 아니다.

직장의 본질은 월급 날짜만 기다리는 사람이 직장을 바꾼다고 일에 대한 의욕이 생기지 않는다.

사랑의 본질은 평상시에 사랑받을 행동을 안 하는 사람은 사랑하는 사람이 생겨도 사랑받을 수가 없다.

인간관계의 본질은 내가 좋은 사람이 되기 위해 학습, 연습, 훈련을 안 하면 좋은 사람이 생겨도 금방 떠나간다.

자기계발, 동기부여 본질은 "어제 보다 0.1% 나은 사람이 되자."라는 태도로 꾸준히 자기계발, 동기부여하지 않으면 시간, 돈 낭비를 한다.

리더십의 본질은 경력, 나이를 내세우면서 시대에 맞는 리더십으로 업데이트하지 않으면 리더십이 아닌 꼰대십(리더병)이 나온다. 꼰대십(리더병)이 생기면 "위치가 사람을 만드는 것이 아니라 위치가 사람을 망쳐버린다."

본질의 힘

본질을 모르면
시간, 돈, 인생 낭비가 되어
악순환이 반복된다.
본질을 어떻게 학습, 연습, 훈련할 것인가?

 헬스, 운동의 본질

 직장, 일의 본질

 **연애, 사랑의 본질**

 인간관계의 본질

 **자기계발, 동기부여의 본질**

 리더십의 본질

40

더 늦기 전에 방탄리더사관학교 25가지 리더십의 본질인 방탄 리더 인재 양성 시스템을 통해 강력한 리더십인 방탄 리더십으로 거듭나야 된다.

방탄 리더 1명이 10만 명을 먹여 살리고 변화 시킨다.
리더는 사라져도 방탄 리더십은 1,000년 간다.
세계 최초 방탄리더사관학교 25가지 시스템 시작한다!

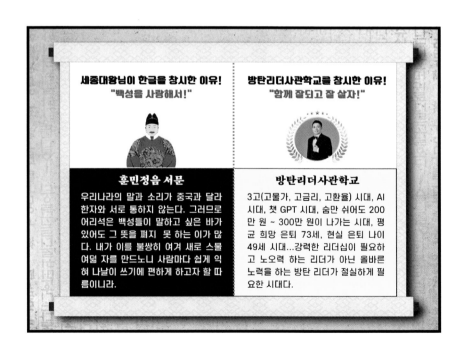

세종대왕님이 한글을 창시한 이유!
"백성을 사랑해서!"

방탄리더사관학교를 창시한 이유!
"함께 잘되고 잘 살자!"

훈민정음 서문
우리나라의 말과 소리가 중국과 달라 한자와 서로 통하지 않는다. 그러므로 어리석은 백성들이 말하고 싶은 바가 있어도 그 뜻을 펴지 못 하는 이가 많다. 내가 이를 불쌍히 여겨 새로 스물여덟 자를 만드노니 사람마다 쉽게 익혀 나날이 쓰기에 편하게 하고자 할 따름이니라.

방탄리더사관학교
3고(고물가, 고금리, 고환율) 시대, AI 시대, 챗 GPT 시대, 숨만 쉬어도 200만 원 ~ 300만 원이 나가는 시대, 평균 희망 은퇴 73세, 현실 은퇴 나이 49세 시대...강력한 리더십이 필요하고 노오력 하는 리더가 아닌 올바른 노력을 하는 방탄 리더가 절실하게 필요한 시대다.

방탄리더사관학교
BULLETPROOF LEADER MILITARY ACADEMY

방탄 리더십과

리더 사명감과
리더십 식스펙(PT)과
리더 소통과
리더십 은퇴 준비과
리더 자존감과
리더 행복과
리더 방탄book기술력과
리더 강사과

리더 기본기과
리더 감정컨트롤과
리더 스토리텔링과
리더 천재일우과
리더 멘탈과
리더 자기계발, 동기부여과
리더 책 쓰기, 출간과
리더 코칭과

리더 태도과
리더 인간관계과
리더 스피치과
리더 7대 의무교육과
리더 습관과
리더 재테크과
리더 유튜버과
리더 인재양성과

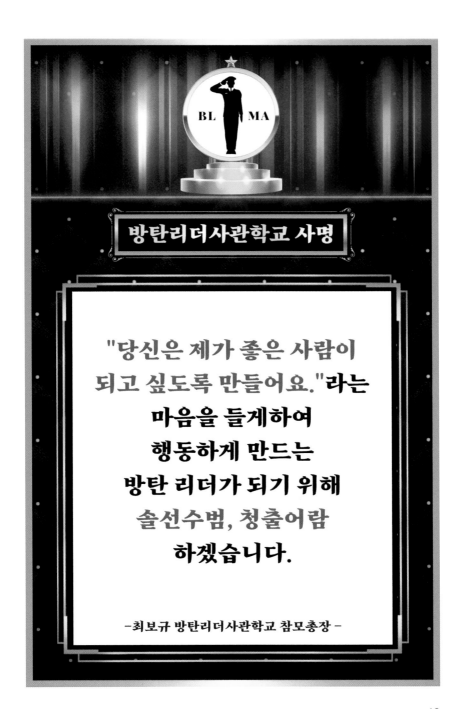

방탄리더사관학교 사명

"당신은 제가 좋은 사람이
되고 싶도록 만들어요."라는
마음을 들게하여
행동하게 만드는
방탄 리더가 되기 위해
솔선수범, 청출어람
하겠습니다.

－최보규 방탄리더사관학교 참모총장 －

방탄 리더십과

<저자 최보규>

1명의 방탄 리더가 10만 명을 변화시키고
먹여 살린다. 리더는 사라져도 방탄 리더
십은 1,000년 간다! 리더의 삼성(진정성,
전문성, 신뢰성)을 업그레이드!

Class 1. 방탄 리더십과

- 1명의 방탄 리더가 10만 명을 변화시키고 먹여 살린다. 리더는 사라져도 방탄 리더십은 1,000년 간다! 리더의 삼성(진정성, 전문성, 신뢰성)을 업그레이드!

★ 지금까지 알고 있는 리더십은 다 잊어라?

서울특별시 지하철 2호선 신도림역 1번 출구 왼쪽으로 가면 현대백화점 지하 계단이 나온다. 어느 계단과 다를 거 없는 계단이다. 하지만 내려갈 때는 안 보이는 하트가 내려가서 계단을 올려다보면 사진에서 보듯 선명한 하트가 보인다. 성공, 돈, 권력에 눈이 멀어 리더 위치에서 중요한 것을 놓치고 있지는 않은가?

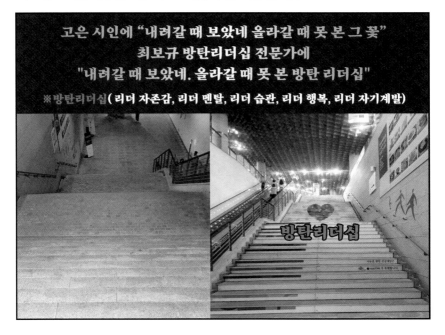

고은 시인에 "내려갈 때 보았네 올라갈 때 못 본 그 꽃"
최보규 방탄리더십 전문가에
"내려갈 때 보았네. 올라갈 때 못 본 방탄 리더십"

※방탄리더십 (리더 자존감, 리더 멘탈, 리더 습관, 리더 행복, 리더 자기계발)

고은 시인에 "내려갈 때 보았네. 올라갈 때 못 본 그 꽃" 시처럼 위(성공, 돈, 권력)만 보고 올라가다 정작 중요한 것을 놓치는 리더가 되면 안 된다. 리더 위치에서 미처 보지 못한 리더 자존감(사랑), 리더 멘탈, 리더 습관, 리더 행복, 리더 자기계발을 통해 그 어떤 책에서도 말하지 않는 리더십의 하트를 지금부터 보게 해줄 것이다.

세종 대왕 리더십, 링컨 리더십, 이순신 리더십, 대통령 리더십, 유명 인사들 리더십, 인기 스타들 리더십, 유명 운동선수 리더십 등이 있고 리더십 종류도 많겠지만 대표적인 리더십은 카리스마적 리더십, 코칭 리더십, 서번트 리더십, 감성 리더십, 윤리적 리더십, 셀프 리더십, 팀 리더십 등이 있다.

셀 수 없는 리더십이 있기에 그 누구 하나 정확하게 리더십이 몇 가지인지 알려 주는 사람이 없다. 그래서 방탄리더십 창시자가 정확하게 몇 가지가 있는지 알려 주겠다. 놀라지 말라. 너무 정확해서 모든 사람이 반박하지 못할 것이다.

현재 세계 인구는 80억 명이다. 그렇다면 리더십은 몇 가지일까? 80억 가지의 리더십이 있다. 사람 지문,

DNA가 같은 사람이 없듯이 리더십도 사람마다 같을 수 없다. 나다운 리더십을 만들어야 세상에 하나뿐인 방탄 리더십이 생겨 오래 지속되는 것이다. 사람마다 리더십이 다르기 때문에 지금까지 알고 있는 리더십은 다 잊으라고 말을 하는 것이다.

다음은 어떤 환경에서 나다운 리더십(방탄리더십)이 나오는지 깨닫게 해주는 스토리텔링이다.

옛날 토끼 마을에 왕 토끼가 있었다.
평소 토끼들을 제대로 이끄는 데 어려움을 겪고 있다 보니 자신에게 뭔가 다른 것이 필요하다고 생각했다.
그 시점에 사자가 마치 천둥과 같은 목소리로 수많은 암사자들을 일사불란하게 이끌고 있는 것을 보고 사자의 털과 목소리를 흉내내기 시작했다.
왕 토끼는 사자의 모습과 목소리를 흉내 냈으나 그렇다고 해서 토끼들을 이끄는 데 어려움은 과거보다 더 힘들었다. 결국 왕 토끼는 사자에게 가서 물어보기로 했다. 사자와 같은 목소리를 터득하는 방법을 알려달라고 했다. 사자와 같은 목소리를 터득한다면 동물의 왕이 될 수 있고, 토끼들을 제대로 이끌 수 있다고 생각했기 때문이다. 근데, 사자의 생각은 아주 달랐다.
'내가 이 목소리로 암사자들을 통솔할 수 있는 이유는 내가 사자이기 때문이다. 나는 토끼를 이끌 수 없다. 그것은 네가 사자를 이끌 수 없는 이유와 같다. 네가 토끼들을 잘 이끌기 위해서는 무엇보다도 너는 완전한 토끼가 되어야 한다."
"네가 어떻게 하면 훌륭한 왕 토끼가 될 수 있는지는 누구도 아닌 네가 함께 생활하는 토끼들이 잘 알고 있을

것이다. 괜히 여기서 시간을 낭비하지 말고 그들에게 다
가가서 직접 물어보아라. 그리고 그들의 이야기를 귀 기
울여 가슴 깊이 들어라."

《부하직원이 말하지 않는 31가지 진실》

토끼는 토끼 리더십, 사자는 사자 리더십이 중요하듯이
한마디로 나다운 리더십(방탄리더십)이 중요한 것이다.
유명한 사람의 리더십이 중요한 것이 아니라 자신 조직
에 필요한 나다운 리더십(방탄리더십)으로 우리 가족,
팀원, 조직체에 필요한 리더십이 중요한 것이다.

'방탄 리더십'

세상 모든 리더십이 바뀌어도 나다운 리더십은 바뀌지 않는다.
나다움이 없는 리더십은 소비기한이 짧지만
방탄리더십은 1,000년 간다.

세계 인구 80억 명
80억 개의 나다운 방탄리더십

**유명한 리더십 공식(책, 영상, 글)에 집착하지 말고
나다운 방탄리더십에 집중하라!**

리더십 발견
리더의 한
조직과 리더
리더의 맛보
리더는 처음이라
리더의 비전
리더의 길
리더의 수업
셀프리더십
리더 공부
리더의 습관
리더의 품격

리더십 가이드
죽지 않는 리더십
풀어가는 리더십
리더의 정석7
리더의 정석6
리더의 정석5
리더의 정석4
리더의 정석3
리더의 정석2
리더의 정석1
리더십 입문
리더의 입문
셀렉트 리더

큰 틀의 리더
리더, 리더십
좋은 리더십
나쁜 리더십
위인전 리더십
팀장 리더십
글로벌 리더십
사랑 리더십
리더 나 인해
감사 리더십
성공한 리더십
성공한 리더십
리더 사용 설명서1

겸손 리더십
존중 리더십
상쾌한 리더십
진정 리더십
리더십 챌린지
위인전 리더십
체인지 리더십
땅장 리더십
4차 리더십
양치기 리더십
늑대 리더십
호랑이 리더십
사자의 리더십

세상에는 4대 사관학교가 있다. 육군사관학교, 해군사관학교, 공군사관학교, 방탄리더사관학교가 있다. 육군사관학교, 해군사관학교, 공군사관학교는 체계적인 시스템 속에서 군인정신 학습, 연습, 훈련을 통해 정예 장교(군 리더, 군사 전문가)를 육성하는 사관학교다.

방탄리더사관학교는 체계적인 시스템 속에서 방탄 리더십 25가지 시스템 학습, 연습, 훈련을 통해 정예 리더(방탄 리더, 방탄 리더십 전문가)를 양성하는 사관학교다.

누구나 리더가 된다. 하지만 방탄 리더는 아무나 될 수 없다. 누구나 방탄 리더가 될 수 있었다면 난 절대로 방탄리더사관학교를 선택하지 않았을 것이다.

★ 리더십의 고, 틀, 선, 편 깨기(고정관념, 틀, 선입견, 편견)

리더십이란 무엇인가?

리더십[leadership] 조직체를 끌어나가는 지도자의 역량. 단체의 지도자로서 그 단체가 지니고 있는 힘을 맘껏 발휘하고 구성원의 화합과 단결을 끌어낼 수 있는, 지도자의 자질을 말한다.

<지식백과>

20,000명 심리 상담, 코칭 하면서 알게 된 리더십의 고정관념이 있다.

조직체가 있고 자신을 따르는 사람이 있어야만 리더라고 착각하지만 혼자 있어도 리더이다. 혼자 있을 때는 리더십을 학습, 연습, 훈련하지 않다가 조직체, 따르는 사람이 생겨야만 리더십을 학습, 연습, 훈련을 하기 때문에 리더십이 어렵고 힘들다. 혼자 있을 때부터, 가정에서부터 리더십은 시작된다.

가정십, 부모십, 엄마십, 아빠십, 아들십, 딸십, 아이십, 청소년십, 청년십, 성인십, 시니어십, 리더십, 임원진십, 팀원십, 직원십, 견주십, 사랑십, 돈십, 인간관계십, 자존감십, 멘탈십, 습관십, 행복십, 자기계발십 등 자신에게 주어진 이름, 직위, 타이틀, 위치에 맞는 행동들이 리더십에 시작이다.

포노 사피엔스 시대['포노 사피엔스(phono sapiens)'는 '스마트폰(smartphone)'과 '호모 사피엔스(homo sapiens: 인류)'의 합성어로, 휴대폰을 신체의 일부처럼 사용하는 새로운 세대]는 "당신이 가지고 있는 리더십은 필요 없어요. 유명 인사, 스타들의 리더십을 무조건 따라 하세요."라는 말로 3혹[현혹, 유혹, 화혹: 화려함에 혹하는 것]을 시켜 나다운 리더 자존감, 나다운 리더 멘탈, 나다운 리더 습관, 나다운 리더 행복을 뺏기는지도 모르고 산다.

유명한 리더십, 인기 있는 사람들의 리더십을 맹신하여 따라 하면 득보다는 독이 많다. 왜 득보다는 독이 많을까? 한 사람의 리더십 공식이 나오기까지 수십 년 동안 시행착오, 대가 지불, 성향, 인고의 시간들이 모여 만들어졌기 때문이다. 리더십 공식만을 따라 하기에 안 되는 것이 당연하다.

리더십을 배우기 위해 시도했던 사람들 대부분이 "유명한 사람 리더십 공식을 시도했는데도 안 되는데 다른 사람 공식들 따라 한다고 되겠어. 나 안 해."라는 태도가 생겨 리더십을 포기하여 인생, 삶의 질이 올라가지 않는 상황이 발생하여 자신 분야 삼성(진정성, 전문성, 신뢰성)을 높이지 못한다.

20,000명 심리 상담, 코칭 해보면 대부분 사람들이 "리더십 강의, 교육, 영상, 책등을 수도 없이 계속 보는데도 안 돼요."라는 말을 한다.
리더십 공식들이 다 독이라고 말하는 것이 아니다.
올바른 노력을 해야 하는데 노오력만 하고 있으니 자신의 소중한 시간, 돈 낭비만 하고 있다.

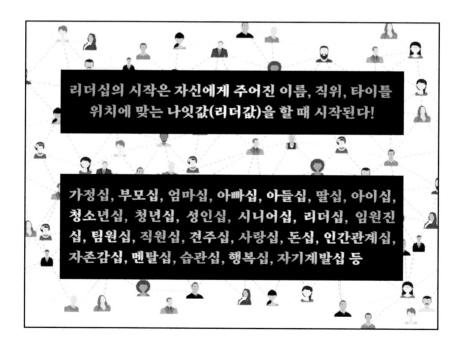

리더십의 시작은 자신에게 주어진 이름, 직위, 타이틀 위치에 맞는 나잇값(리더값)을 할 때 시작된다!

가정십, 부모십, 엄마십, 아빠십, 아들십, 딸십, 아이십, 청소년십, 청년십, 성인십, 시니어십, 리더십, 임원진십, 팀원십, 직원십, 견주십, 사랑십, 돈십, 인간관계십, 자존감십, 멘탈십, 습관십, 행복십, 자기계발십 등

20,000명 심리 상담, 코칭! 리더 자기계발서 39권 출간! 리더 습관 320가지 만들면서 알게 된 방탄리더십의 비밀! 올바른 노력을 하기 위한 방탄리더십 3:7공식 공개한다.

방탄리더십 창시자!

- 리더 책 39권 출간
- 리더 책 2,000권 독서
- 20,000명 심리 상담, 코칭
- 45년간 리더 습관 320가지 만듦

'방탄 리더십'

당신의 리더십은 아직도 1차, 2차, 3차 산업시대 리더십인가?
4차 산업 시대는 4차 리더십인 방탄리더십으로
업데이트해야만 인생 바이러스(꼰대병, 리더병)에 걸리지 않는다.

지금 시대는 위치가 사람을 만드는 것이 아니라 위치가 사람을 망치는 사람들이 많아지고 있으며 하루에도 수도 없이 리더십에 연관된 영상, 글, 책, 사진들 3혹을 시킨다. 지금 시대는 노력이 배신하는 시대에 살고 있다. 노력이 배신하는 시대에 필요한 리더십이 무엇일까?

노력이 다 배신하는 것이 아니다.
자연의 이치인 인간이 하는 모든 것은 시행착오, 대가 지불, 인고의 시간이라는 노력이 들어가야만 결과를 얻을 수 있다. 하지만 지금 시대는 4차 산업 시대이다. 한마디로 1차, 2차, 3차 산업 시대의 노력이 아닌 4차 노력인 올바른 노력을 해야만 노력이 배신하지 않는다.
당신은 아직도 3차 리더십인가? 그렇다면 4차 리더십인 방탄리더십으로 업데이트하라!

지금 리더십 환경이 어떤지 아는가?
하루에도 리더십에 연관된 영상, 글, 책, 사진들 수도 없이 엄청나게 많이 보는데 10년 전보다 스마트폰 없는 시대보다 1,000배는 더 좋은 환경인데도 스마트폰이 없던 시대 10년 전보다 리더십을 더 못하는 현실이다.
10년 전 스마트폰이 없던 시대보다 리더십이 더 못하는 이유가 뭘까?
단언컨대 리더십의 본질을 모르고 하기 때문이다.

다음은 외적인 것보다 내적인 것이 중요함을 깨닫게 하는 스토리텔링이다.

겉은 화려한데 왠지 모를 허무함을 느낀다면?
꽃이 자꾸 시든다. 꽃잎에 물도 뿌려보고, 줄기도 정성스레 닦아준다. 그래도 꽃은 시든 채로 있다. 그래서 꽃을 바꾼다. 하지만 얼마 안 가 또다시 꽃이 시들고, 전과 같은 과정을 반복하며, 꽃을 열심히 살려보려 노력하지만, 또 실패한다. 화가 나서 화분을 바닥에 내리친다. 그리고선 깨닫는다. 뿌리가 썩어있었다는 것을 눈에 보이는 현상이 아니라, 눈에 보이지 않은 본질이 썩어 있다면, 처음엔 화려할 수 있으나, 시간이 지날수록 시들어 버린다는 것을 마침내 깨닫는다. 당신은 꽃잎을 가꾸고 있는가? 뿌리를 가꾸고 있는가?
눈에 보이는 현상에 집중하느라 본질이 흐려지는 것은 아닌가?

<facebook.com/ggumtalk>

가장 중요한 뿌리(리더 자존감, 리더 멘탈, 리더 습관, 리더 행복)를 학습, 연습, 훈련하지 않으면 리더 삼성(진정성, 전문성, 신뢰성)을 올릴 수 없고 꽃, 열매(결과)는 얻을 수 없으며 결과가 나오더라도 오래 지속되지 않는 인스턴트 결과가 나온다.

꽃, 열매는(결과 리더십) 화려하고 보기 좋았는데 뿌리가(리더십 본질) 썩어 죽어가고 있다?

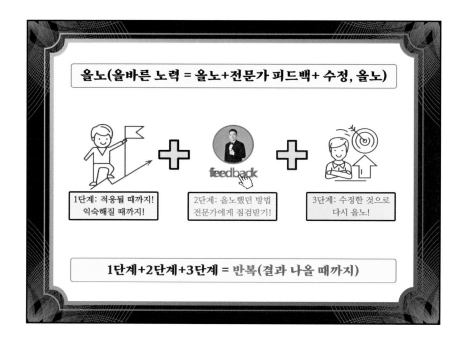

인간이 하는 모든 것의 본질을 알아야만 노오력이 아니라 올바른 노력을 할 수 있다. 노력은 경험만 채우고 시간만 때우는 노력이다. 지금 시대는 노력이 배신하는 시대다.

올바른 노력은 어제보다 0.1% 다르게, 변화, 나음, 성장하는 것이다.

'방탄 리더십'

노력을 하면 리더십이 죽는다!
올바른 노력을 해야만 리더십이 산다!
방탄리더십이 올바른 노력이다!

인생의 본질

	헬스, 운동 본질
	직장, 일 본질
	연애, 사랑 본질
	인간관계 본질
	자기계발 본질
	리더십 본질

인생의 모든 본질은 정답이 없지만 기본(자존감, 멘탈, 습관, 행복, 자기계발)을 지키지 않으면 결과가 나오지 않는다.

운동의 본질은 헬스, 운동의 기본기를 배우지 않는 사람이 좋은 헬스장으로 옮긴다고 헬스, 운동 습관이 만들어지는 것이 아니다.
직장의 본질은 월급 날짜만 기다리는 사람이 직장을 바꾼다고 일에 대한 의욕이 생기지 않는다.
사랑의 본질은 평상시에 사랑받을 행동을 안 하는 사람은 사랑하는 사람이 생겨도 사랑받을 수가 없다.
인간관계의 본질은 내가 좋은 사람이 되기 위해 학습, 연습, 훈련을 안 하면 좋은 사람이 생겨도 금방 떠나간다.
자기계발 본질은 "어제 보다 0.1% 나은 사람이 되자." 라는 태도로 꾸준히 안 하면 시간, 돈 낭비를 한다.

리더십의 본질은 경력, 나이를 내세우면서 시대에 맞는 리더십으로 업데이트하지 않으면 리더십이 아닌 꼰대십이 나온다. 리더십의 본질은 리더 자존감, 리더 멘탈, 리더 습관, 리더 행복, 리더 자기계발에서 시작한다.

국자는 국맛을 모른다는 말이 있다.

리더십 교육, 강의, 영상을 수없이 보고 듣는데도 늘 그 때뿐인 이유는 국자가 국맛을 모르듯 국자 리더십을 하고 있기 때문이다. 국맛을 제대로 보려면 국을 만드는 사람이 되어야 맛을 제대로 느낄 수 있듯 리더십을 제대로 발휘하려면 리더십의 본질인 리더 자존감, 리더 멘탈, 리더 습관, 리더 행복, 리더 자기계발 본질을 먼저 알아야 한다.

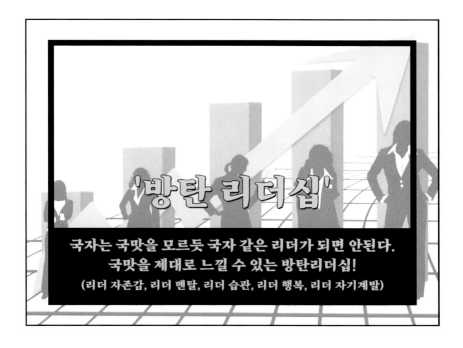

'방탄 리더십'

국자는 국맛을 모르듯 국자 같은 리더가 되면 안된다.
국맛을 제대로 느낄 수 있는 방탄리더십!
(리더 자존감, 리더 멘탈, 리더 습관, 리더 행복, 리더 자기계발)

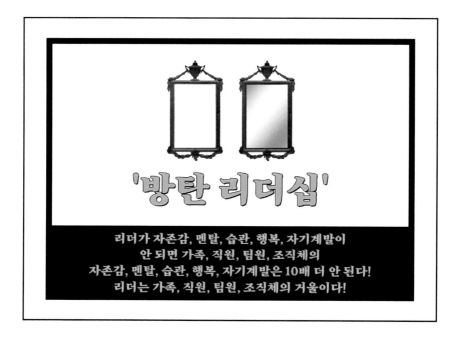

리더가 자존감이 낮은데 가족, 직원, 팀원, 조직체의 자존감이 높아지길 바라는가?

리더가 멘탈이 낮은데 가족, 직원, 팀원, 조직체의 멘탈이 높아지길 바라는가?

리더가 습관이 안 좋은데 가족, 직원, 팀원, 조직체의 습관이 좋아지길 바라는가?

리더가 행복하지 않은데 가족, 직원, 팀원, 조직체가 행복해지길 바라는가?

리더가 자기계발을 하지 않는데 가족, 직원, 팀원, 조직체가 자기계발을 잘 하길 바라는가?

세계 영향력 있는 리더 100명, 노벨상을 받은 리더가 말하는 리더십 공식보다 선행되어야 할 것은 리더십의 본질인 리더 자존감, 멘탈, 습관, 행복, 자기계발이다.

방탄리더십의 본질인 리더 자존감, 리더 멘탈, 리더 행복, 리더 습관, 리더 자기계발을 모르는 사람은 리더십 책 200권 리더십과 연관된 영상, 글, 책, 사진 등 1,000개를 보더라도 리더십이 업그레이드되지 않는다.

방탄리더십 본질 학습, 연습, 훈련을 통해 나다운 인생을 살 수 있게 방향을 잡아주고 자신 분야 삼성(진정성, 전문성, 신뢰성)을 높여 줄 것이다. 더 나아가 자신 분야 제2수입, 제3수입을 올릴 수 있는 연결 고리를 만들어 줄 것이다.

★ 짝퉁 리더는 자신을 짝퉁으로 사랑한다. 방탄 리더는 자신을 명품으로 사랑한다.

다음은 자신을 짝퉁으로 사랑하다가 뒤늦게 자신을 명품으로 사랑한 연예인 이효리의 스토리텔링이다.

지금은 자존감이 높기로 유명한 연예인 이효리가, 과거에 겪었던 우울증을 고백합니다.

지난 10년간 정말 열심히 달려왔어요. 근데 표절 논란으로 악성루머가 퍼지기 시작하고 10년간 쌓아온 명성이 정말 한순간에 무너져 내리면서 모든 사람들에게 욕을 먹는 처지가 되어 버렸죠. 정말 굳게 믿던 오랜 친구에게 버림받은 느낌이 들었어요. 저에게는 제가 쌓아온 인기와 명성이 전부였거든요. 그래서 세상 다 끝난 것처럼 매일 집에서 혼자 술만 마시고, 매일 울기만 했어요. 그러다 보니 몇 개월간 집 밖으로 나가지도 못하고 말 그대로 폐인이 되더라구요. 근데 그때, 저의 지인이 너 도저히 안 되겠다면서 전문기관에 박사님을 추천해주셔서 그곳에 가서 상담을 받았는데 저에게 이 말씀을 하시더라구요.

"효리씨는 충족시켜줘야 할 남들의 기대와 시선들이 많

고 그걸 혼자 짊어지고 가야 해서 늘 외롭고 부담감이 컸을 거예요. 집에 금은 잔뜩 쌓아 놨는데, 정작 자신이 먹을 쌀은 없는 상황이에요. 그 금을 어서 효리씨를 위한 쌀과 바꿔서 먹어야 해요. 그래야 효리씨가 살 수 있어요."

딱 이 말씀을 하시는데 바로 눈물이 쏟아지는 거예요. 저는 사람들이 원하는 것을 충족시켜주기 위해 노력할 줄만 알았지, 정작 가장 중요한 나 자신은 내팽개치고 스스로에게 진정한 관심을 가져본 적이 없었던 거예요. 남들의 시선을 위한 명품 같은 것을 사는데 돈을 써본 적은 많아요. 정작 나 자신을 위해 쓰는 수건은 몇 년째 다 떨어진 수건을 쓰고 있고 집은 항상 난장판이고 집에 있는 오븐이나 식기 세척기는 한 번도 써본 적이 없고 냉장고는 항상 비어있고 자신을 위한 일을 할 줄을 몰랐고 나 자신을 사랑할 줄 몰랐던 것을 깨달았어요. 그러더니 너무 나 자신에게 미안해지더라구요. "효리야 지금까지 방치해서 미안해, 앞으로 더 사랑해줄게" 비로소 그때, 저 스스로에게 무엇을 원하는지 묻기 시작하고 저 자신과 진심으로 화해하기 시작한 것 같아요.

혹시 '자기돌봄'이라는 단어를 들어보셨나요?
나 자신을 소중한 한 인격체로서 바라보고 나 자신에게

관심을 가지는 것에서부터 시작해서 나 자신의 욕구를 채워주고 듣고 싶었던 말을 스스로에게 해주면서 스스로를 돌보는 행위를 뜻해요.

이효리가 깨달은 중요한 사실은 바로 데뷔 이후 겉으로는 화려한 인생을 살았지만, 결국 '자기돌봄'은 없었던 거죠. 인생을 돌이켜 봤을 때, 정말 자신에게 미안한 삶을 살아왔다는 거예요. 자신을 희생하면서까지 남들을 위해, 채워주면서 살아왔지만, 결국 그들이 한순간에 등을 돌려버린 순간 찾아오는 건 깊은 상실감과 우울뿐이었죠. 남들은 당신의 인생을 대신 살아주지 않아요. 또한 남들은 당신을 진정으로 깊이 돌봐줄 수도 없어요. 오직 나만이 자신이 겪는 상황을 직접 체험하고 있으며, 그렇기 때문에 스스로 원하는 게 무엇인지, 싫은 게 무엇인지, 어떻게 하길 원하는지 가장 정확히 알고, 채워줄 수 있는 능력을 가진 사람은 바로 자기 자신 뿐이에요.

물론 자신을 돌본다는 개념이 익숙하진 않을 거예요. 사회에서는 이런 것을 가르쳐준 적이 없을 테니까요. 그러니 익숙하지 못한 건 당신이 부족해서가 아니에요. 하지만 조금씩 자신이 무엇을 원하는지에 귀를 기울이다 보면, 자신을 돌보는 게 점점 익숙해지기 시작할 거예요.

<유튜브 멘탈케어::힐링 심리학 채널::>

이효리는 자신을 짝퉁으로 사랑을 했다. 상담을 계기로 자신을 명품으로 사랑하는 법을 알게 되었다.

짝퉁 사랑이란? 명품 사랑이란?
20,000명을 심리 상담, 코칭 하면서 알게 된 것은 "자신을 사랑하세요?"라는 질문을 하면 대부분 사람들이 사랑한다고 한다. 그렇다면 "사랑하는 자신을 위해서 어떤 행동을 하세요?" 이런 질문을 받으면 90%의 사람들이 말을 하지 못한다. 몇 명의 사람들은 "자신이 좋아하는 것을 할 때 자신을 사랑하는 거 아닌가요?"라고 말을 한다.

틀린 말은 아니다. 하지만 50%만 맞다.

음식으로 예를 들겠다. 2019년 의사, 약사, 영양학자 100명을 대상으로 실시한 설문 조사와 통계에 따르면 의사들이 먹지 않는 음식 7가지가 있다고 한다.

1위 탄산음료, 2위 가공육, 3위 통조림, 4위 아이스크림, 5위 화이트초콜릿, 6위 무지방 우유, 7위 곱창 순위다. 솔직히 가슴에 손을 얹고 생각해보자. 현대 사람들이 좋아하는 음식은 혀가 좋아하는 것이지 몸이 좋아하는 음식이 아니다.

혀가 좋아하는 음식은 몸이 싫어하고 몸이 좋아하는 음식은 혀가 싫어한다. 건강을 챙기는 가장 빠른 방법은 몸에 좋은 것을 챙겨 먹는 것보다 몸에 좋지 않은 음식을 절제, 자제하는 것이 건강한 몸을 유지하는데 더 빠르다. 안 좋은 음식을 너무 많이 먹다 보니 이제는 오히려 안 좋은 음식을 줄이고 적게 먹는 게 건강을 챙기는 것이 되어버렸다. 아이러니한 현상이다.

먹지 말라고 하는 것이 아니다. 말만 건강 챙겨야지 하면서 혀만 좋아하는 음식을(몸의 도움이 안 되는 음식) 얼마만큼 절제, 자제하는지 냉정하게 생각을 해봐야 한다. 이런 말을 들으면 대부분 사람은 "살면 얼마나 산다고 치아 좋을 때, 소화력 좋을 때, 한 살이라도 젊을 때 먹고 싶은 거 먹어야죠. "인생사는 이유가 먹는 행복도 있는데 먹고 죽은 귀신 때깔도 좋다. 라는 말도 있듯이 일단 몸에 안 좋더라도 먹고 싶은 거 다 먹을 거예요." "병원치료 하는 거 그때 가서 생각하죠. 인생 뭐 있어요?" 이런 말을 했던 사람들이 나이 먹고 병원 치료하면서 후회를 했다.
지금은 무병장수 시대가 아니라 유병 장수 시대다. 병이 있는 상황에서 오래 사는 현실이다. 병원치료를 오래 하면서 오래 사는 것은 그 무엇보다 힘들고 불행한 것은 없다.

자신이 좋아하는 것이 몸, 정신, 인생에 도움이 안 되는 것이라면 자신을 사랑하는 것이 아님을 명심해야 한다. 몸, 정신, 인생에 무리가 가는 모든 것들을 얼마만큼 절제, 자제하냐가 자신을 명품으로 사랑하는 것이다.

이렇게 물어보고 싶은 사람들도 있을 것이다! "최보규 방탄리더십 전문가 당신은 얼마만큼 절제, 자제하면서 말하는가? 얼마나 절제, 자제하는지 들어나 봅시다."
필자는 몸, 정신, 인생에 도움이 되는 습관 320가지를 하고 있다. 필자의 습관 320가지가 자주 언급이 될 것이다. 참고해서 지금부터 시작했으면 좋겠다.

리더라면 누구보다 자신을 사랑하는 본질을 제대로 알아야 한다. 리더의 0순위인 자신을 사랑하지 않으면 가족, 팀원, 조직체를 사랑할 수가 없는 게 자연의 이치다.

리더 자신을 사랑하기 위한 행동 유발 5요소!
(리더 자존감, 리더 멘탈, 리더 습관, 리더 행복, 리더 자기계발)

1. 리더 자존감
리더는 자존감이 높아야 상대방을 존중, 인성, 인정, 배려할 수가 있어서 따르라고 강요하지 않아도 따른다.

71

2. 리더 멘탈

리더는 멘탈이 높아야 힘들고, 어려운 상황들이 닥쳤을 때 지혜롭게 이겨 낼 수 있다.

멘탈이 낮으면 나다운 인생 갑이 아닌 세상, 현실, 주위 사람들이 말하는 인생인 을로 산다.

멘탈갑이 바디갑이고 멘탈갑이 을이 아닌 갑으로 살게 한다.

3. 리더 습관

리더의 말 습관, 표정 습관, 행동 습관이 잘 쌓이면 "우리 리더와 함께라면 나도 비전 있는 사람이 될 수 있고 성공할 수 있어" 라는 리더의 비전을 보게 된다. 비전을 보게 되면 리더의 습관을 닮아 가게 된다.

4. 리더 행복

행복해 보이는 리더가 아닌 행복한 리더가 되어야만 가족, 팀원, 조직체가 행복해지고 오랫동안 함께 하고 싶어 한다. 리더가 정말로 행복하면 함께 하는 사람들이 많아지고 남에게 보여주기식 행복은 주변 사람들이 함께하려 하지 않는다. (쇼윈도 행복)

5. 리더 자기계발

리더가 자기계발을 통해 변화, 성장, 행동해야만 가족,

팀원, 조직체원들이 1%라도 변화, 성장하려고 행동한다. 어제, 1주일 전, 한 달 전, 3개월 전, 6개월 전, 1년 전...사소한 것이라도 변화, 다름, 나아짐, 성장이 없었다면 팀원, 조직체원들은 변질되어 썩고 있다는 것이다. 리더가 변화하지 않으면 팀원, 조직체원들은 10배로 빠르게 변질되고 썩는다는 것을 명심해야 한다.

리더가 자신 분야 자기계발을 통해 앞으로 30년, 은퇴 후 30년을 함께 할 수 있는 비전을 보여 주면 팀원, 조직체원들은 리더에게 충성을 다 한다.

리더님 지금처럼 살 것인가? 지금부터 살 것인가!
지금처럼 리더십 할 것인가?
지금부터 방탄리더십 할 것인가!

"하던 대로 대충 시간이 해결해 주겠지!" 태도로 때를 기다리는 리더가 될 것인가
방탄리더십(리더 자존감, 리더 멘탈, 리더 습관, 리더 행복, 리더 자기계발)으로
때를 만들어 갈 것인가! 지금 시작하면 변화하고 내일 하면 변질된다!

노벨상을 받은 사람의 리더십 공식보다 선행되어야 할 것은
리더 자존감, 멘탈, 습관, 행복, 자기계발이다!
리더 자존감, 멘탈, 습관, 행복, 자기계발은 리더라는 자동차의 연료다!

리더라면 자신을 먼저 명품으로 사랑해야만 가족, 팀원, 조직체원들을 사랑할 수 있는 것이다.
다음은 사소한 것들이 모여서 자신을 명품으로 사랑하게 만드는 예시다. 벤치마킹하여 자신을 짝퉁이 아닌 명품으로 사랑하자!

오래된 기도
가만히 눈을 감기만 해도 기도하는 것이다.
왼손으로 오른손을 감싸기만 해도
맞잡은 두 손을 가슴 앞에 모으기만 해도
말없이 누군가의 이름을 불러주기만 해도
노을이 질 때 걸음을 멈추기만 해도
꽃이 진 자리에서 지난 봄날을 떠올리기만 해도 기도하는 것이다.
음식을 오래 씹기만 해도
촛불 한 자루 밝혀 놓기만 해도
솔숲 지나는 바람 소리에 귀 기울이기만 해도
갓난아기와 눈을 맞추기만 해도
자동차를 타지 않고 걷기만 해도
섬과 섬 사이를 두 눈으로 이어 주기만 해도
그믐달의 어두운 부분을 바라보기만 해도 우리는 기도하는 것이다.
바다에 다 와가는 저문 강의 발원지를 상상하기만 해도

나의 죽음은 언제나 나의 삶과 동행하고 있다는 평범한 진리를 인정하기만 해도 기도하는 것이다.
고개 들어 하늘을 우러르며 숨을 천천히 들이마시기만 해도.

《지금 여기가 맨 앞》

♥ 최보규 방탄리더십 전문가의 방탄리더십 기도 준비!

- 8시간 숙면하는 것도 방탄리더십 기도 준비하는 것이다.
- 알람 듣고 바로 일어나는 것도 방탄리더십 기도 준비하는 것이다.
- 기상 직후 양치질하고 물 한 잔 마시는 것도 방탄리더십 기도 준비하는 것이다.
- 유산균, 영양제 먹는 것도 방탄리더십 기도 준비하는 것이다.
- 책 읽어 주는 앱(교보문고 SAM) 실행하는 것도 방탄리더십 기도 준비하는 것이다.
- 전신 스트레칭 10분 하는 것도 방탄리더십 기도 준비하는 것이다.
- 세수하고 로션 바르기 전 자존감, 멘탈, 긍정 스티커 보고 얼굴 스트레칭하는 것도 방탄리더십 기도 준비하는 것이다.

- 하루 2번 박장대소 15초 하는 것도 방탄리더십 기도 준비하는 것이다.
- 현관문 앞에 문구 "보규야! 신발장에 자존심 넣어 두고 나가니?" 보고 나오는 것도 방탄리더십 기도 준비하는 것이다.
- 강의가 있건 없건 무조건 집을 나서는 것도 방탄리더십 기도 준비하는 것이다.
- 강의 2-3시간 전 강의장 근처에 도착해서 책 읽는 것도 방탄리더십 기도 준비하는 것이다.
- 강의 1시간 전 강의 마음가짐을 준비하는 것도 방탄리더십 기도 준비하는 것이다.
- 책 메모한 것을 점심시간 때 지인 450명에게 보내는 것도 방탄리더십 기도 준비하는 것이다.
- 배워서 남 주자는 마인드를 실천하는 것도 방탄리더십 기도 준비하는 것이다.
- 한 달에 책 15권 읽는 것도 방탄리더십 기도 준비하는 것이다.
- 담배, 술, TV, 게임 안 하는 것도 방탄리더십 기도 준비하는 것이다.
- 전신 장기기증하고 건강관리 하는 것도 방탄리더십 기도 준비하는 것이다.
- 길 가다 전단지 받는 것도 방탄리더십 기도 준비하는 것이다. (그분이 1초라도 먼저 집에 갈 수 있기에)

- 쓰레기를 버리지 않는 것도 방탄리더십 기도 준비하는 것이다.
- 사랑의 전화 카운슬러 봉사하는 것도 방탄리더십 기도 준비하는 것이다.
- 사랑의 전화 후원하는 것도 방탄리더십 기도 준비하는 것이다.
- 주말마다 유치부 봉사하는 것도 방탄리더십 기도 준비하는 것이다.
- 지인 강사들 상담해 주는 것도 방탄리더십 기도 준비하는 것이다.
- 물 7잔 마시는 것도 방탄리더십 기도 준비하는 것이다.
- 탄산음료, 주스 줄이는 것도 방탄리더십 기도 준비하는 것이다.
- 자기관리, 긍정의 모든 것은 방탄리더십 기도 준비하는 것이다.
- 마트에서 물건사고 계산 할 때 점원이 편하게 바코드를 찍을 수 있도록 구매한 모든 제품 바코드를 보이게 올려놓으니 점원이 하는 말 "마트 10년 동안 고객님 같은 분은 처음이네요. 바코드가 보이게 해줘서 너무 편했습니다. 너무 감사합니다."라는 말에 "별말씀을요." 말해주며 서로가 행복해지는 것도 방탄리더십 기도 준비하는 것이다.

- 편의점 범죄 하루 42건이고 한해 15,000건이다. 편의점에서 일하시는 분들 고충을 덜어 주기 위해 박카스 사서 주는 것도 방탄리더십 기도 준비하는 것이다.

사소한 것들이 기도이듯, 최보규 방탄리더십 전문가의 생활 속에 사소한 것들이 자신을 사랑하는 행동이듯이 삶 속에서 사소한 것들이 리더십의 연료가 되는 것이다. 리더는 리더십이 내 삶이고 내 삶이 리더십이 되어야만 방탄리더십이 되어 리더십을 보호할 수 있는 것이다.
리더여, 리더십을 위해 무엇을 어떻게 생활 속에서 꾸준히 준비하는가?

★ 방탄소년단(BTS)의 리더인 RM(김남준)의 방탄리더십! 삼성(진정성, 전문성, 신뢰성)리더십!

다음은 BTS라는 그룹의 RM 리더십을 빛나게 한 삼성(진정성, 전문성, 신뢰성), BTS 맴버들의 삼성(진정성, 전문성, 신뢰성), BTS 그룹의 팬클럽인 "A.R.M.Y"(아미)의 삼성(진정성, 전문성, 신뢰성)을 알게 해주는 내용이다.

사업가가 본 BTS RM 리더십 완벽 분석
저는 RM님의 리더십은 '최상위 Level의 리더십'이라고 생각합니다. RM님의 위치와 환경을 생각해보고 분석을 해본다면 제가 왜 RM님의 리더십이 '최상위 Level의 리더십'이라고 말씀드리는지 알 수 있습니다.
1. 혈기왕성하고 하고 싶은 게 넘쳐날 20대의 맴버 구성.
2. 다른 언어와 문화를 가진 해외에 진출하게 된 상황.
3. 세계의 주목을 한 눈에 받는 글로벌 대스타가 된 상황.
모든 상황이 겉으로는 좋아 보일 수 있지만 모든 맴버가 이 상황 자체가 새롭고 어색하여 굉장히 혼란스러웠을 겁니다. 계속해서 환경도 달라지기 때문에 정말 많은 의견 충돌과 어려운 점이 많았을 것이라 생각합니다.

RM 님의 입장에서 한번 생각을 해보자고요.

• 다른 나라의 언어로 인터뷰는 모두 도맡아서 하고 있지

• 전 세계 주목을 한눈에 받으면서 행동과 말 하나에 엄청난 부담감을 느꼈을 것이고

• 회사는 기회라고 생각했기 때문에 살인적인 스케줄을 요구했을 것이고

• 멤버는 이러한 압박에 적응하지 못하거나 많은 불만이 생길 수밖에 없었을 겁니다.

• 그리고 앞으로 발매할 노래에 대한 부담감

이것은 그 누구도 이해하기 힘든 정말 어려운 상황이었을 겁니다. RM님 조차도 이런 상황이 모두 처음이었을 텐데 이러한 상황 속에서도 팀을 이끌어야 하는 리더 위치였기 때문에 정말 어려웠을 겁니다. 이 상황 속에서 RM님은 멤버의 멘탈과 마인드 관리를 지속적으로 해야 했을 것이고 또 회사의 대변인으로 회사의 방향성과 의사를 지속해서 팀원에게 전달하고 설득해야 했을 것입니다. 그 상황에서 멤버 간의 충돌 그리고 회사와 멤버 간에 충돌이 정말 많았을 것으로 생각이 듭니다.

리더십이 아무리 좋은 사람이라도 그 위치라면 정말 잘 해내기 힘들었을 겁니다. 그런데 결과는 어땠죠? 지금까

지 큰 문제없이 BTS가 활동하고 지속해서 성공하고 2021년 아메리칸 뮤직 어워드에서 올해의 아티스트상을 수상하는 큰 성공을 거두었죠. RM님의 리더십이 큰 역할을 했다고 판단해볼 수 있는 것입니다. 그 어려운 상황들을 모두 극복하고 있다는 것입니다. 이는 RM님이 리더의 역할을 너무나 잘해주었다는 것이 입증 된 것이고 그것을 해낸 "RM님의 리더십은 최상위 Level의 리더십이다." 라고 분석해 볼 수 있습니다.

그리고 결정적인 것은 팀원 모두 RM님의 리더십을 인정하고 있다는 것에서 검증되었죠. 사진에서 말하는 것처럼

- 민윤기(슈가): RM은 리더십이 굉장히 뛰어난 친구라서 리스펙 합니다.
- 정호석(제이홉): 사실 그 친구에게는 존경받을만한 부분이 되게 많은 거 같아요. 언어적인 부분도 그렇고 나이도 똑같은데, 친구인데도 불구하고 팀을 이끌어 나가고 있는 그런 리더십이 존경스럽고 너무나도 대단하다고 느끼고 있습니다.
- 김태형(뷔): 일단 RM형은 굉장히 일단 머리가 너무 좋아요. 그리고 정말 영어 하는 게 되게 부러워요. 저는 RM 형이 그렇게 영어 하는 것도 부러운데 영어로도 그렇게 말을 잘한다는 거 자체가 또 부러운 거 같아요. 무

대 위에서는 멋지고 카리스마 있는 모습들만 보여주고 무대 밑에서는 맴버들의 개개인의 매력을 많이 어필해 주려고 하는 거 같아요. 각각 맴버의 매력을 더 오를 수 있게끔 만들어주는 맴버인 거 같아요.RM형이.

- 전정국(정국): RM형은 말할 것도 없는 사람이에요. 아마 저희의 팬이라면 남준이 형의 어떤 부분이 멋있고 어떤 부분은 본받아야 하는지 아마 전부 다 알고 계실 거예요. 남준이 형은 진짜 말할 것도 없고 너무 멋있는 사람이고 그래서 저희를 이끌어주는 리더의 자격이 있는 사람입니다.

- 박지민(지민): 물론 자리도 리더이기도 하지만 똑같이 한 맴버라고 생각이 드는데 중심에 서 있기 굉장히 힘든 일이라고 생각을 하거든요.
그 중심에서 이 팀의 책임감과 소중함 이런 것들을 항상 되짚어주게 만드는 거 같아요. 그걸 항상 가지고 있는 모습들을 보면 "진짜 멋있는 형이구나!"라는 생각이 드는 것 같아요. 그뿐만 아니라 내가 가수인 거에 대해서 항상 돌아보고 깊게 생각하고 이런 모습들이 너무 멋있다고 생각이 든 것 같아요.

- 김석진(진): 작사, 작곡을 쓰는 것도 굉장히 잘하지만 작사 능력에 존경을 표합니다. 그 친구가 쓴 가사들을 보면 어떻게 이런 생각을 할까? 어떻게 이런 감수성이 나올까? 싶을 정도로 높이 사는 편입니다.

BTS 모든 멤버가 RM님의 리더십에 대해서 인정하고, 존경을 표하고 있습니다. 대단하지 않나요? 그럼 RM님의 리더십은 어떤 부분이 다른 걸까요? 제가 판단하는 RM리더십의 핵심은 '끊임없이 왜? 라는 질문을 던지며 팀의 핵심가치 파악하고 그것을 활용하여 멤버에게 동기부여를 하는 것'입니다. KBS 뉴스에 BTS 인터뷰 중에서 저는 RM님의 리더십의 핵심을 파악할 수 있었습니다. 팀워크가 어떻게 그렇게 좋으냐는 질문에 이렇게 대답하셨죠. "같은 나룻배에 탔어도 모두 다른 방향을 보면서 간다고 생각해요. 일곱 명이 다른 환경에서 자라고 다른 것들을 좋아하며 살았는데 똑같을 순 없죠. 같은 배에 타고 있다는 것만 서로 명확하게 인지하고 때로는 가족처럼 때로는 파트너처럼 적절한 거리를 유지하면서 신뢰와 존중 하는 게 팀워크의 비결이라고 말하고 싶습니다." -BTS 리더RM-

RM님은 리더십의 핵심을 정확하게 인지하고 있습니다. 모든 사람은 기본적으로 생각이 다르고 원하는 것이 다르다. 모두를 만족시킬 수는 없다. 하지만 팀의 성공에서 가장 중요한 것은 우리는 하나의 목표를 위해 모여진 팀이라는 것을 잊지 않는 것이다' 이것을 이렇게 어린 나이에 깨달은 것입니다. 저는 이 부분이 정말 놀라웠습니다. 팀에서 가장 중요한 핵심 가치를 아주 잘 파악하고 있는 것이죠. RM님은 어린 나이에 리더로서 수많은 문제와 어려움을 겪고 그것을 해결해나가면서 본인이 스스로 내린 결론이었을 겁니다. 아마 수십 번 마음속으로 계속 리마인드 하고 다짐했을 겁니다.

RM님은 끊임없이 왜? 라는 질문을 합니다. 이는 결국 문제 해결의 핵심은 '핵심 가치를 파악하는데 있다.'는 것을 너무 잘 알고 있는 것입니다. 본인 스스로도 계속해서 왜? 라는 질문을 던지고 구성원에게도 계속 왜? 라는 질문을 리마인드하면서 우리가 왜 음악을 시작했고 BTS가 왜 존재하는지를 끊임없이 리마인드하고 핵심 가치를 파악해서 그것을 이용하여 멤버를 설득과 동기부여를 주고 있는 것입니다.

아무리 상황이 어려워도 왜? 라는 질문을 던지고 거기에 대한 답을 찾는 것이 가장 중요하다는 것을 RM님은 이미 깨닫고 있는 것입니다. 정말 놀랍고 리더가 잊지 말아야할 핵심을 RM님은 이미 알고 있는 것으로 분석이 됩니다.

<유튜브 성공 페이스메이커 비트킴>

BTS 리더인 RM의 리더십이 더욱 빛날 수 있었던 것은 멤버들의 빛이 한곳에 모였기 때문에 가능했을 것이다.

마치 돋보기로 햇빛을 한 곳에 집중 시키는 것처럼 RM의 리더십은 개개인 멤버들의 빛(삼성: 진정성, 전문성,

신뢰성)을 한곳에 집중을 시켰다. 리더는 가족, 팀원, 조 직체원들의 빛을 한곳으로 모이게 해야 한다.

가족, 팀원, 조직체원들의 빛을 모으기 위해서는 많은 요소들이 필요하지만 감히 방탄리더십 창시자로서 말을 하자면 조직체원들의 빛을 한 곳으로 모이게 하는 것은 리더의 삼성(진정성, 전문성, 신뢰성)이다. BTS 리더인 RM은 자신에게 멤버들에게 삼성(진정성, 전문성, 신뢰 성)을 보여주었기 때문에, 멤버들이 RM리더에게 삼성 (진정성, 전문성, 신뢰성)을 느꼈기 때문에, "A.R.M.Y" (아미) 팬들도 BTS에게 삼성(진정성, 전문성, 신뢰성)을 느꼈기 때문에 BTS와 "A.R.M.Y"(아미) 팬 들의 빛이 한곳에 모여 세계적으로 유명한 아티스트 중에서도 가 장 빛이 난 것이다. 리더의 삼성(진정성, 전문성, 신뢰 성)이 만들어지면 함께하는 사람들도 삼성(진정성, 전문 성, 신뢰성)이 만들어진다.

연예인 팬들 중에도 남다른 팬들이 있겠지만 BTS 공식 팬클럽인 "A.R.M.Y"(아미) 팬들은 유독 더 남다르다. 자 신의 우상을 닮아 가듯이 "A.R.M.Y"(아미) 팬들은 BTS 멤버들의 선행 릴레이 실천하기 위해 BTS 멤버들의 생 일 때마다 저소득층이나 취약계층의 사람들에게 기부활 동을 꾸준히 한다. 대한민국을 넘어 세계 곳곳에 선행,

사랑을 나누는 "A.R.M.Y"(아미)다!

한 기자가 질문을 했다. 방탄소년단(BTS)의 선한 영향력의 근원은 어디서 나오는 가? "A.R.M.Y"(아미) 팬들에게 받은 행복, 사랑을 어떻게 하면 "A.R.M.Y"(아미) 팬들에게 행복, 사랑을 줄까? 라는 질문을 멤버들과 늘 한다. 그 질문들이 모여 세계 "A.R.M.Y"(아미)팬들과 함께 할 수 있는 사랑스러운 행동들이 나오는 거 같다.

방탄소년단(BTS)과 "A.R.M.Y"(아미) 팬을 한마디로 정리가 될 거 같다.

"우리 리더는 제가 좋은 사람이 되고 싶도록 만들어요."
"우리 방탄소년단(BTS)은 우리가 좋은 A.R.M.Y(아미)가 되고 싶도록 만들어요."
"우리 A.R.M.Y(아미) 팬들은 우리가 좋은 방탄소년단(BTS)이 되고 싶도록 만들어요."

리더가 실력은 없는데 인성만 좋다고 "당신은 제가 좋은 사람이 되고 싶도록 만들어요."라는 태도를 조직체원들이 갖게 되는 게 아니다.
리더의 삼성(진정성, 전문성, 신뢰성)이 생활 속에서 꾸준히 보여 줄 때 조직체원들이 "당신은 제가 좋은 사람

이 되고 싶도록 만들어요."라는 마음을 먹게 하여 리더
와 100년 함께 하고 싶어지는 것이다.

BTS리더십! 방탄리더십!

BTS ARMY

"우리 리더는 제가 좋은 사람이 되고 싶도록 만들어요."

"우리 방탄소년단(BTS)은 우리가 좋은
A.R.M.Y(아미)가 되고 싶도록 만들어요."
"우리 A.R.M.Y(아미) 팬들은
우리가 좋은 방탄소년단(BTS)이 되고 싶도록 만들어요."

★ 방탄리더십 학습법 2:3:5공식! 리더는 사라져도 방탄리더십은 1,000년 간다!

다음은 노력이 아닌 올바른 노력(방탄리더십 학습법 2:3:5공식)으로 준비를 하고 있어야만 기회를 만들어 갈 수 있다는 것을 알게 해주는 스토리텔링이다.

매일같이 빠듯한 생활에 지친 직장인이 있었다. 어느 날 길을 걷는데, 그의 앞에 바람에 날려 온 전단지 한 장이 떨어졌다. 남자는 힐끔 전단지 내용을 훑어봤다.

'보다 나은 삶을 꿈꾸는 당신! 무료로 상담해 드립니다.'

전단지 밑에는 꿈의 재정 컨설턴트라고 쓰여 있었다. 마침 삶에 진절머리가 났던 남자는 곧장 재정 컨설턴트를 찾아갔다. 남자가 도착한 곳은 굉장히 화려한 건물 사무실 문에 걸린 팻말에는 '자 멋진 인생을 살 준비됐나요?'라고 적혀 있었다. 아무렴, 난 지금 현실이 지긋지긋하다고 남자는 푸념하며 문을 밀었다. 그런데 사무실 안에는 아무도 없고 각각 고용주, 고용인이라고 적힌 두 개의 문만 있을 뿐이었다. 아무래도 팻말을 보고 안으로 들어오라는 표시 같았다. 그는 월급쟁이였기에 고용인이라고 쓰인 문을 열고 들어갔다.

그러자 또다시 문이 두 개 나타났다. 오른쪽 문에는 '연 수입 1억 이상' 왼쪽 문에는 '연 수입 1억 이하'라는 팻말이 걸려 있었다. 남자는 당연히 왼쪽 문을 열고 들어갔다.

이번에는 자산 규모 3억 이상 자산 규모 3억 이하라는 팻말이 걸린 두 개의 문이 나타났다. 남자는 가진 재산도 변변찮아서, 투덜거리며 자산 규모 3억 이하라고 적힌 문을 열었다. 그러자 이번엔 아무것도 적혀 있지 않은 평범한 문이 하나 있었고, 남자는 이제야 상담을 받을 수 있겠다고 생각하며 마지막 문을 열었다. 하지만 문을 연 남자는 실망하고 말았다. 처음 전단지를 주운 바로 그 장소로 돌아와 버렸기 때문이었다.

《질문하는 독종이 살아남는다》

다른 문을 선택했다면 결과는 달랐을까? 절대 그럴 일 없다! 왜? 남자가 처음 장소로 돌아간 이유가 뭔지 아는가? 새로운 문을 열기 전 준비가 되어 있지 않았기 때문이다. 그 준비란? 꿈과 목표를 이루기 위한 자격이 갖춰져 있지 않아서다.

완벽한 준비를 하라는 것이 아니다. 기회가 와야 준비하는 것이 아니라 준비, 변화하고 있어야 그 기회가 기회인 줄 알고 그 일에 더 집중을 할 수 있다.

현실은 유튜브, SNS, 책, 영상...등에서 알려 주는 성공 시스템, 돈 많이 버는 시스템들이 넘쳐난다. 하지만 자신이 성공자가 되기 위해 돈을 많이 벌 수 있는 사람이 될 수 있는 자격을 갖추고 있는가? 아니면 자격을 갖추기 위해 시행착오, 대가 지불, 인고의 시간을 견디기 위한 어떤 준비를 하고 있는가? 리더여, 꿈과 목표를 이루기 위한 자격을 갖추기 위해서 어떤 학습, 연습, 훈련을 하고 있는가?

기회는 오는 게 아니다. 기회는 만들어 가는 것이다.
20,000명을 심리 상담, 코칭 하면서 알게 된 것은 사람들이 교육, 영상, 강의, 책, 학습, 코칭을 받으면 80% 효과를 볼 거라는 착각을 한다.

단언컨대 교육 효과는 2:3:5공식으로 이루어졌다.

평균적으로 학습자들은 교육만 받으면 80% 효과를 보고 동기부여가 되어 행동으로 나올 것이라고 착각한다. 그러다 보니 교육받는 동안 생각만큼, 돈을 지불한 만큼 자신의 기준에 미치지 못하면 효과를 보지 못한 거라고 지레짐작으로 스스로가 한계를 만들어 버린다. 행동으로 옮기지 못하는 것이 상황과 교육자가 아닌 자기 자신이라는 것을 모른다.

20,000명 심리 상담, 코칭, 자기개발서 39권 출간, 습관 320가지 만듦, 시행착오, 대가 지불, 인고의 시간을 통해 가장 효율적이며 효과적인 교육 시스템은 2:3:5라는 것을 알게 되었다.

교육 듣는 것은 20%밖에 되지 않는다. 교육을 듣고 스스로가 생활 속에서 배웠던 것을 토대로 30% 학습, 연습, 훈련해야 한다.

가장 중요한 50%는 학습, 연습, 훈련한 것을 검증된 전문가에게 꾸준히 a/s, 관리, 피드백을 받아야만 2:3:5공식 효과를 볼 수 있다.

하지만 안타깝게도 학습, 연습, 훈련한 것을 교육, 코칭 받은 전문가에게 꾸준히 a/s, 관리, 피드백을 받아야 하는데 지속해서 a/s, 관리, 피드백을 해주는 전문 리더가 없다. 그래서 교육, 강의, 코칭이 늘 그때뿐인 상황이 되어버린다. 시간, 돈 낭비만 되는 교육 현실이다.

20,000명 심리 상담, 코칭 하면서 사람들의 안타까운 마음을 알기에 일반 리더십 정신인 "나 하나쯤이야." 가 아닌 방탄 리더십 정신인 "나 하나라도" 태도로 최보규 방탄리더십 전문가에게 교육, 강의, 코칭 받은 사람들을 우주 책임감인 150년 a/s, 관리, 피드백을 해주고 있다.

20,000명 심리 상담, 코칭 하면서 알게 된 2:3:5공식!

교육 **= 20%** 1단계

스스로 학습, 연습, 훈련 **= 30%** 2단계

검증된 전문가 a/s,관리,피드백 **= 50%** 3단계
feedback
150년 a/s,관리,피드백

'방탄 리더십'

일반 리더십 "나 하나쯤이야. 내가 안 해도 누가 하겠지"
방탄 리더십 "나 하나라도. 누군가 할 거면 내가 하자"

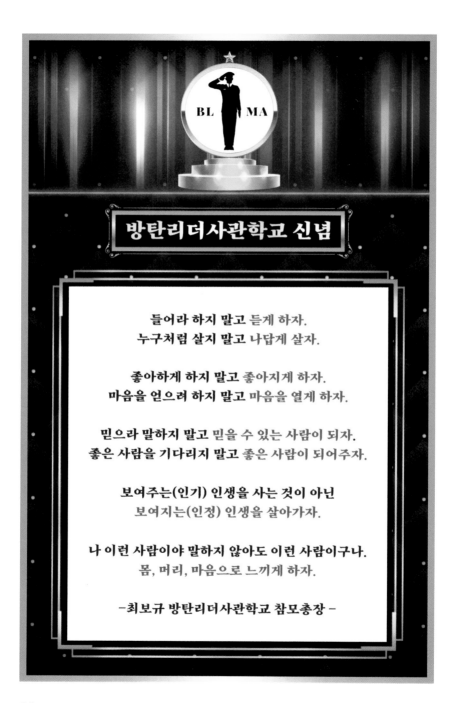

방탄리더사관학교 신념

들어라 하지 말고 듣게 하자.
누구처럼 살지 말고 나답게 살자.

좋아하게 하지 말고 좋아지게 하자.
마음을 얻으려 하지 말고 마음을 열게 하자.

믿으라 말하지 말고 믿을 수 있는 사람이 되자.
좋은 사람을 기다리지 말고 좋은 사람이 되어주자.

보여주는(인기) 인생을 사는 것이 아닌
보여지는(인정) 인생을 살아가자.

나 이런 사람이야 말하지 않아도 이런 사람이구나.
몸, 머리, 마음으로 느끼게 하자.

-최보규 방탄리더사관학교 참모총장 -

20,000명 심리 상담, 코칭 하면서 알게 된 리더십!
리더십 반대는 무능함이 아닌 꼰대십(리더병)이다!

꼰대 또는 꼰데는 본래 아버지나 교사 등 나이 많은 사람을 가리켜 학생이나 청소년들이 쓰던 은어였으나, 근래에는 자기의 구태의연한 사고방식을 타인에게 강요하는 이른바 꼰대질을 하는 직장 상사나 나이 많은 사람을 가리키는 말로 변형된 속어이다.

<위키백과>

연예인 병
일반적으로 지나치게 관심 받는 것을 의식하고 자아도취하거나 자신의 인지도를 필요 이상으로 과대평가하는 행위를 지칭하는 신조어다. 어떻게 보면 관심병과 상통하는 증세로도 볼 수 있긴 하지만 전자의 경우 보통 주목도가 아주 떨어지는 케이스가 아닐 때 붙이는 편이다. 일반인뿐만 아니라 유명 비 연예인(ex. 정치인, 운동선수)도 자신의 분야가 아닌 연예계 분야에서 뜨고 싶어 하는 경우도 연예인 병이라고 칭한다. 때로는 연예인 및 유명 비연예인의 식솔 같은 주변 인물들이 이런 경우도 있다. 연예인들이 본인의 영향력과 인기에 정신이 나가

서 자신은 평범한 일반인들과 급이 다르다고 여기고 일종의 재벌이나 정치인 내지는 기득권이 된 양 허영과 자뻑에 쩌는 것.

연예인 병은 톱스타들보다는 오히려 어중간한 연예인들이 많이 걸린다고 한다. 오히려 유명 연예인들은 관계자들끼리는 몰라도 적어도 대중들 앞에선 자신들의 행동거지를 조심하는 편인데 어중간하게 뜬 사람이 주제도 모르고 나대는 경우가 많다고 한다. 이런 사람들이 이 병에 걸리면 솔직히 그냥 꼴값 떤다는 생각밖에 안 든다. 결국 업계에서 평판 나빠지고 일이 끊기고 나서야 본인이 연예인 병에 걸렸던 것을 후회한다고 한다.

<나무위키>

리더병은 연예인 병과 같다. 위치가 사람을 만드는 게 아니라 위치가 사람을 망치는 경우가 더 많은 현실이다. 리더병에 걸린 사람들은 옷걸이 같은 사람이다? "옷걸이는 걸쳐지는 옷들이 마치 자신인 마냥 자신을 잃어버려 착각 속에 산다."

다음은 인재들이 회사를 떠나는 이유를 조사한 것을 설명한 것이다. 인재 양성을 할 수 있는 시스템을 만들기 위한 0순위는 인재가 떠나는 이유, 원인을 파악하는 것이다.

그들은 회사가 아니라 리더를 떠난다. 평생직장이라는 개념이 사라지고 있다.

어느 신문 조사에 의하면 직장에 다니는 사람들 중 무려 50%가 이직 이란 단어를 염두에 두고 있다고 한다. 그리고 연봉을 얼마나 올려주면 이직하겠느냐는 질문에는 평균 430만 원을 적었다고 한다. 왜 절반에 가까운 직장인들이 한 달에 35만 원만 더 주면 기꺼이 자신이 몸담았던 회사를 떠날 수 있다고 대답했을까?

더 높은 연봉? 더 좋은 커리어? 아니면 비전을 찾아서?

이와 관련해 두 권의 흥미로운 책을 소개할까 한다.

첫 번째는 .마커스 버킹엄과 그의 동료 커트 코프먼이 쓴 (유능한 관리자)라는 책이다.

이 책은 미국에서 150만 부 넘게 팔린 베스트셀러로, 저자들은 뛰어난 직원들은 직장에서 무엇을 원하는가? 라는 질문에 대한 해답을 찾기 위해 25년 100만 명이 넘는 직원과 8만여 명의 관리자들을 인터뷰했다.

저자들이 내린 결론 중 하나는 불행히도 유능한 직원이 회사를 그만두는 가장 중요한 이유는 상사 때문이라는 것이다. 다시 말하면 직원들은 회사를 떠나는 것이 아니라 함께 일하던 상사를 떠난다.

당신도 잠시 생각해 보자. 직장 생활을 적어도 10년쯤 한 분들이라면 치밀어 오르는 화를 못 참고 진짜 때려

치우든지 해야지라는 생각을 몇 번쯤은 했을 것이다. 왜 그때 그런 생각을 했는지 생각해 보면, 아마 십중팔구 그 인간 때문이었을 게 분명하다.

비슷한 내용의 또 다른 책으로(직원이 직장을 떠나는 7가지 숨겨진 이유)가 있다. 저자는 이 책에서 정작 더 높은 연봉이나 더 좋은 기회 때문에 회사를 떠나는 이들은 많지 않다고 주장한다. 이 두 가지는 이직하는 사람들이 내세우는 단순한 이유일 뿐, 정말 떠나야겠다고 결심하는 이유는 따로 있다는 것이다. 바로 이런 것들이다.

1. 일이나 직장에 애초의 예상과 다름
2. 일과 사람의 적합성 부족
3. 코칭 부족
4. 성장할 수 있는 기회 부족
5. 자신의 공헌에 대한 인식 부족
6. 일과 삶의 불균형
7. 리더로부터 신뢰와 인정을 받지 못함

위에 열거한 내용 또한 대부분이 그 인간 혹은 그 인간의 못난 리더십 때문이란 사실을 금방 눈치챌 수 있을 것이다.

결국 두 책의 내용을 종합하면 직장인들이 회사를 떠나는 가장 큰 이유는 같이 일하는 상사 때문이라는 결론을 내릴 수밖에 없다.

다시 말해 상사의 리더십 때문이다.

잠시 생각해 보자. 내 직원이나 후배들에게 나는 어떤 상사 혹은 선배일까? "회사는 그저 그렇지만 저분 때문에 내가 여기에 있는다."라는 생각을 만드는 존재일까? 아니면 "회사는 좋지만 저 인간 때문에 언젠가는 그만둔다."라고 생각하게 만드는 존재일까?

《사람을 남겨라》

인간관계 불편한 진실이 있다. "일은 힘들어도 사람 때문에 못 해 먹겠다." 한마디로 꼰대가, 꼰대십(리더병)이 직원을 퇴사하게 만들고 떠나게 만든다.

20,000명 심리 상담, 코칭 하면서 알게 된 것을 토대로 리더십의 반대인 무능함이 아닌 꼰대십(리더병)으로 시대에 맞게 재해석한 것을 알려주겠다.

긍정보다 70배는 강력한 것이 부정적이기에 시중에 있는 수많은 리더십 공식 10,000개보다 꼰대십(리더병) 극복 방법, 절제, 자제, 개선하기 위한 행동이 리더십을 높이는데 시간, 돈 낭비를 줄이고 더 효과가 있다.

한마디로 정리를 하면
이렇게 하면 성공한 리더가 된다.

이렇게 하면 좋은 리더가 된다.
이렇게 하면 리더를 존경한다.
이렇게 하면 사랑받는 리더가 된다.
이렇게 하면 조직체원들을 사랑한다.
이렇게 하면 카리스마적 리더십이다.
이렇게 하면 코칭 리더십이다.
이렇게 하면 서번트 리더십이다.
이렇게 하면 감성 리더십이다.
이렇게 하면 윤리적 리더십이다.
이렇게 하면 셀프 리더십이다.
이렇게 하면 팀 리더십이다. 등

수많은 리더십 공식에 집착이 아닌 리더십의 반대인 꼰대십을 극복, 절제, 자제하기 위한 학습, 연습, 훈련하는 것에 집중해야 한다.

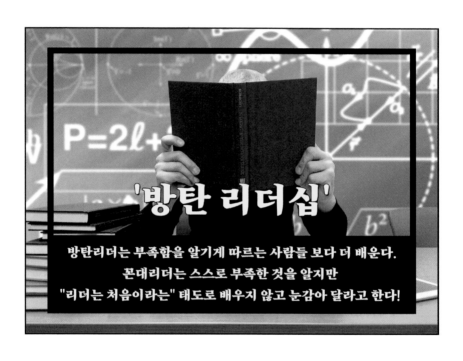

'방탄 리더십'

방탄리더는 부족함을 알기게 따르는 사람들 보다 더 배운다.
꼰대리더는 스스로 부족한 것을 알지만
"리더는 처음이라는" 태도로 배우지 않고 눈감아 달라고 한다!

세계 인구 80억 명
80억 개의 나다운 방탄리더십

유명한 리더십 공식(책, 영상, 글)에 집착하지 말고
나다운 방탄리더십에 집중하라!

리더의 품격	리더의 습관	리더 공부	셀프리더십	리더의 길	리더의 비전	리더의 말투	리더는 첨음이라	리더의 말투	조직과 리더	리더의 힘	리더십 방정
새벗트 리더	리더십 입문	리더의 정석	리더의 정석2	리더의 정석3	리더의 정석4	리더의 정석5	리더의 정석6	리더의 정석7	풀어가는 리더십	죽지 않는 리더십	리더십 가이드
리더 사용 설명서1	성공한 리더십	성공한 리더십	감사 리더십	사랑 리더십	리더 나 인해	끌리는 리더십	임원진 리더십	좋은 리더십	나쁜 리더십	리더, 리더십	분대 리더
사자의 리더십	호랑이 리더십	늑대 리더십	양치기 리더십	4차 리더십	체인지 리더십	리더십 챌린지	평정 리더십	위인전 리더십	진정한 리더십	설폐한 리더십	존중 리더십	겸손 리더십

긍정적인 사람이 되기 위한 가장 **빠른** 방법은 부정적인 사람이 되지 않는 게 먼저다. 다음은 그 이유를 과학적인 근거로 설명한 스토리텔링이다.

긍정보다 70배 강력한 힘

누군가가 무언가를 크게 말을 하면, 그냥 생각만 했을 때보다 10배가 더 강해집니다. 조지타운 대학의 프리스틴 포라와 하버드 자료에 의하면 부정은 4~7배 더 강력했습니다. 무언가를 크게 말하면 10배이고, 그게 부정이면 곱하기 4배에서 7배 강해요. 그러면 제가 부정적인 것을 크게 말하면 40~70배 더 일어날 확률이 크거나 나에게 나쁜 것을 초래할 겁니다.

첫 번째, 당신의 말은 강력합니다.

두 번째, 행동이 성공을 아주 보장합니다.

많은 사람들은 감정이 행동을 좌지우지하게 둡니다. 행동을 주체에 놓고 말이죠. 행동이 바로 당신을 바꾸는 겁니다. 동시에 스스로에게 물어봐야죠. "나는 뭘 원하는지?"그리고 "왜 가지고 있지 않은지?" 어퍼메이션이 중요해요? (어퍼메이션: 인생을 바꾸는 긍정적인 질문) 당연히 중요해요. 내면부터 바꾸는 게 중요해요? 당연하죠. 하지만 그건 시작점이 아니에요.

"머저리 같은 것 좀 입 밖에 내뱉지 말고" 내가 과거를 어떻게 느끼는지가 아닌 " 내가 지금 무엇을 하느냐가" 미래의 내가 누가 될지 결정합니다.

<유튜브 성공 비밀> 트레버 모아와드

부정의 힘이 얼마나 강력한지 알게 해주는 스토리였다. "부정 1%가 긍정 99%를 이긴다."라는 말이 그냥 나온 것이 아니다. "긍정적인 사람이 되어야 한다."라는 말 보다는 "부정적인 사람이 안 되기 위해 힘써야 한다."라는 말이 더 빠르게 긍정적인 사람이 될 수 있다.

20,000명을 심리 상담, 코칭 하면서 알게 된 것은 긍정적인 말보다는 부정적인 말을 많이 한다. 한마디로 부정적인 말을 하는 습관이 몇십 년 동안 자리를 잡았다는 것이다. 그래서 긍정적인 말을 하는 게 중요한 것이 아니라 부정적인 말을 줄여 나가는 것이 중요하다.

앞에서도 언급했듯이 좋은 리더십 공식을 외우는 게 중요한 것이 아니라 꼰대 리더가 되지 않는 꼰대십(리더병)을 안 하는 게 중요하다는 것이다. 꼰대십(리더병)을 하지 않으면 자연스럽게 단단한 방탄리더십이 생긴다.

꼰대십(리더병)을 치료하기 위해서는 어떻게 해야 할

104

감기는 일반적인 병이라 약 처방만 하면 하루만으로도 낫는다. 하지만 꼰대십(리더병) 극단적인 말로 암 1기, 2기, 3기, 말기라고 할 수 있다.

세계 인구 80억 명이면 80억 명의 사람 누구나 암세포가 5,000개는 있다. 기본 암세포 5,000개가 유전, 생활 습관으로 인해 얼마큼 늘어났느냐에 따라 암 1기, 2기, 3기 말기로 된다. 한마디로 암이라는 것이 잠복기간이 길어서 몇 십 년 뒤에 증상이 나타난다는 것이다. 매년 종합검진으로 조기에 발견해서 빠른 치료를 해야만 위험하지 않다. 필자가 말하고 싶은 핵심은 꼰대십(리더병)도 몇 달 만에 누적된 것이 아니다.

리더 성향, 성격, 생활 습관으로 인해서 최하 몇 십 년 동안 쌓였다는 것이다. 그래서 꼰대십(리더병) 치료 전문가에게 시스템 속에서 꼰대십 종합검진을 받고 지속적인 관리를 받아야만 꼰대십(리더병)이 치료가 되는 것이다.

그 시작이 방탄리더십 6단계 시스템으로 시작해야 한다. (꼰대십(리더병)치료 6단계 시스템: 리더 자존감, 리더 멘탈, 리더 습관, 리더 행복, 리더 자기계발, 리더 코칭)

꼰대십(리더병) 증상들을 알아야만 제대로 된 치료를 할 수 있다. 더 늦기 전에 다음부터 나오는 꼰대십(리더병) 증상들을 참고해서 제대로 치료하기 바란다.

★ 20,000명을 심리 상담, 코칭 하면서 알게 된 꼰대십!

- 직원 1명보다 고객 10명, 거래서 10곳이 더 소중하다?

고객 한 명을 잃으면 250명, 250개 거래처를 잃는 것이지만 경력자 한 명이 그만두면 25,000명 고객, 거래처 2,500개에서 지속해서 발생하는 수입이 사라진다.
250:1법칙이 있다. 한 사람이 알고 있는 사람이 평균적으로 250명이라고 한다. 한 명의 고객을 잃으면 250명 고객을 잃는 거와 같다는 것이다. 2500:1법칙이 있다. 직원 한 명이 2,500명 고객을 만들 수 있다는 것이다.

다음은 리더가 직원을 고객보다 더 소중하게 생각하게 만드는 스토리텔링들이다.

미국의 심리학자 미셸 맥퀘이드가 미국의 직장인 1,000명을 대상으로 조사한 연구 결과, 65퍼센트의 직장인이 '연봉 인상'보다도 자신의 '상사 해고'를 원한다고 했다. 상사가 잘리면 직원들의 회사 만족도가 올라간다는 말이다. 실제로 원치 않는 상사 밑에서 일하면 소화불량, 두통, 가슴 두근거림, 우울증 같은 질병이 생기기 쉽다고 한다. 직원 입장에서는 원치 않는 상사와 일하게 되면 경력도 망가지고 심지어 건강도 나빠지는 셈이다. 전생의 원수는 회사에서 만난다는 말이 사실이라면 이런 경우가 아닐까?

《부하직원이 말하지 않는 31가지 진실》

고객 한 명을 잃은 손실

어떤 부인이 매주 정기적으로 슈퍼마켓에 가서 일용품을 구입했는데, 3년 동안 그 슈퍼마켓을 애용한 부인이 한 번은 그곳 점원의 서비스 태도가 거슬려 더는 그곳을 찾지 않았다.

그 부인은 12년이 지나서야 겨우 그 슈퍼마켓에 들러, 주인에게 자신이 그동안 발길을 끊은 이유를 말해 주었다. 그러자 주인은 부인의 충고를 열심히 귀담아듣고 나서 진심으로 사과했다. 그리고 부인이 가고 난 뒤 한번 계산해 보았다. 만약 그 부인이 매주 한 번씩 자신의 가게를 찾아와 25달러어치의 물품을 사 갔다면 12년 동안 15,600달러어치를 사갔을 것이다. 12년 전 직원의 사소한 소홀함 때문에 슈퍼마켓은 무려 15,600달러라는 영업 손실을 입은 것이다.

《리더의 칼》

도미노피자 고객 생애 가치

'도미노피자(Domino's Pizza)'에서는 배달 나가는 직원들에게 이렇게 얘기한다고 한다. "당신들은 지금 4,000 달러짜리 피자를 배달하고 있다!" 피자 한 판 값은 10달러에도 못 미치지만 그 피자를 시켜 먹는 고객의 CLV(Customer Lifetime Value; 고객 생애 가치; 어떤 고객이 평생 기여하는 정도를 금전적으로 나타낸 수치)는 4,000달러에 이른다는 것을 인식시키는 것이다.

도미노피자는 고객을 락인(Lock in) 시켜 CLV를 극대화한 결과는 주가 상승률에서 볼 수 있다. 도미노피자에 따르면 '10년부터 7년간 도미노피자의 주가 상승률은 2120%에 달한다. 이는 같은 기간 애플의 377%, 아마존의 562% 상승률을 크게 웃도는 수치다.

<이상근 박사의 물류 이야기> 아웃소싱타임스

백만 원짜리 아메리카노 주세요!
지금 여러분은 카페에서 아메리카노를 판매하고 있습니다. 고객 한 명이 문을 열고 들어옵니다. 그리고 3천 원짜리 아메리카노 한 잔을 주문합니다. 3천 원짜리 아메리카노를 주문한 고객은 우리에게 3천 원 만큼의 가치가 있는 고객일 것이고, 결과적으로 3천 원 가치만큼의 상품을 제공하고 서비스하면 될 것 같습니다.
이번에는 또 다른 고객 한 명이 문을 열고 들어옵니다. 이번에도 3천 원에서 5천 원 정도의 음료를 주문하겠거니 생각했는데, 예상치 못하게 이 고객은 백만 원짜리 아메리카노를 달라고 합니다.

만약 백만 원짜리 아메리카노를 판매할 수 있다면 기분이 어떨 것 같은가요? 3천 원짜리 아메리카노를 판매할 때보다 왠지 더 정성스럽게 커피를 내리고, 더 좋은 서비스를 제공해야 할 것 같은 기분이 들지 않을까요? 아마 실제 판매하는 입장에서도 더 기분 좋게 고객을 맞이하고 응대하게 될 것입니다.

그런데 혹시 이 사실을 알고 계신가요? 여러분이 매일매일 만나는 대부분의 고객들이 이미 백만 원이 넘는 아메리카노를 구매하고 있다는 사실을요. 이게 무슨 말일까요? 마케팅에서 고객 생애 가치를 뜻하는 용어인 CLV(Customer Lifetime Value)를 이해하면 좀 더 쉽고 다른 각도로 고객의 평가할 수 있을 거 같습니다. 고객 생애 가치란 한 고객이 평생 동안 한 기업에게 제공할 것으로 예상외는 이익의 합계를 말합니다. 아메리카노를 예로 들자면, 고객 한 명이 평생 동안 한 카페에서 아메리카노를 마시게 될 총매출을 뜻하는 것입니다. 3천 원짜리 아메리카노를 매일 한 잔씩 사 먹는 고객이 있다고 가정해 볼까요? 이 고객은 현재 1년째 매장을 방문하여 늘 똑같은 아메리카노를 주문하는 고객입니다.

그렇다면 지난 1년간 이 고객이 매장에 소비한 금액은 3,000×365=1,095,000으로 대략 백만 원이 됩니다.

앞으로 이 고객이 향후 3년간 우리 매장을 계속해서 찾는다면 이 고객을 단순히 3천 원짜리 아메리카노를 구매하는 고객으로 대접해야 할까요? 아니면 4백만 원짜리 아메리카노를 구매하는 고객이라고 생각하고 서비스를 해야 할까요?

《변하는 것과 변하지 않는 것》

고객을 차별하면 가치는 극대화된다.
잠재고객, 가망고객, 신규고객, 기존고객, 핵심고객, 이탈고객과 같은 일반적인 고객 분류입니다.
상대적으로 가장 먼저 포기해야 하는 고객은 바로 잠재고객과 가망고객입니다.
이들은 앞으로 고객이 될 가능성이 있는 사람들입니다. 하지만 지금 우리의 상품과 서비스를 이용하고 있는 현재의 고객은 아닙니다. 잠재고객과 가망고객은 어떤 기업에게나 아주 매력적인 단어입니다.
이들만 있으면 기업은 급속하게 성장하고 큰 성공을 거머쥘 수 있을 것 같다는 착각을 하기 때문입니다. 하지만 일반적으로 잠재고객을 신규고객으로 전환하는 것은 기존고객을 유지하는 것보다 5배 이상의 비용이 듭니다.

수많은 사람들이 신규고객을 창출하는 것에 집중하는 것이 비즈니스 성장과 성공을 위해 도움이 된다고 생각하지만, 대부분의 경우 명백한 착각입니다. 오히려 기존고객과의 관계에 집중하는 것이 낫습니다. "기업은 수익의 90%가 기존 고객들로부터 나오고 있음에도 마케팅 예산의 70%를 새로운 고객 유치에 쓰고 있다."

"기존고객이 신규고객보다 구매 성향이 2배 높다는 연구 결과와 기존고객의 이탈 5%를 줄이면 수익성의 25%가 개선된다." 이 사실을 아무리 이야기해도 잠재고객을 신규고객이라는 수면 위로 끌어올리고 싶은 유혹을 참기 어렵습니다. 위와 같은 이유 외에도 마케팅에서 기존고객에 집중해야 하는 것은 기존고객은 내부고객과 마찬가지로 그 자체로 마케팅 채널이기 때문입니다.
이들은 주변에 잠재고객이 포착되는 순간 자신과 긍정적인 관계를 맺고 있는 상품을 추천합니다. 흔히 입소문이라고 말하는 가장 강력한 커뮤니케이션이 이루어지는 것이죠. 이런 관점에서도 익명의 다수를 통해 신규회원을 유치하려는 전략보다는 기존고객들에게 혜택을 주고 이들을 통해 신규회원이 유입될 수 있도록 유도하는 것이 비용 측면, 또 기존고객의 이탈을 줄이고 충성도를 높이는 데 도움이 됩니다.
《변하는 것과 변하지 않는 것》

고객보다 더 중요한 사람은 내부 고객인 직원이다. 경력 직원 관리, 인재 관리 시스템이 있다면 고객, 거래처는 언제든지 만들 수가 있다. 리더에게는 고객이 0순위가 아니라 직원이 0순위이고 고객이 1순위가 되어야 한다.

직원에게는 고객이 0순위고 리더는 1순위가 되어야 한다. 고객은 수시로 변하지만 충성 직원은 변하지 않는다. 회사가 싫어서가 아니라 리더가 아닌 꼰대가 싫어서 떠난다.

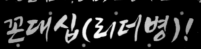

20,000명을 심리 상담, 코칭 하면서 알게된
꼰대십(리더병)!

리더십 반대는 무능함이 아닌 꼰대십이다!
좋아하는 것보다 싫어하는 것을 하지 않을 때
리더십의 믿음, 신뢰가 쌓인다!

- 직원 1명보다 고객 10명, 거래서 10곳이 더 소중하다?
- 본인도 못 했으면서 주제 파악을 못 한다고 훈계만 한다.
- 리더값, 나잇값을 못 한다.
- "나 때는 말이야" (영화 〈신세계〉, 최민식 버전)
- 언행일치가 99% 안 된다.
- 꼰대가 뭔지 모른다.
- 본인도 하지 않으면서 하길 바란다.
- 격려, 위로, 배려, 존중이 없다.
- 지는 법이 없다. 고집이 세다.
- 자신 방식이 무조건 답이라는 식으로 무조건 따르라고 한다.

- 남자, 여자 성별을 따지며 사람을 차별한다.
- 여자, 남자를 밝히고 성희롱적인 말을 물 먹듯이 한다.
- 리더가 직원들 눈을 의식하지 않는다.
- 직원들을 월급 충 그 이상으로 생각하지 않는다.
- 월급에 다 포함 되어있으니 까라면 까라는 식으로 강요한다.
- 본인도 하던 방법으로만 하면서 새로운 시도를 하길 바란다.
- 속이 좁다, 밴댕이 소갈딱지다.
- 콤플렉스, 열등감, 자격지심, 상처, 트라우마에 민감하다.
- 눈빛을 보내는 게 아닌 눈총을 준다.
- 리더가 해야 할 일과 내려놓아야 할 일 조절을 못 한다.

- 건의 사항을 말하라고 하면서 화내고 빈정 상해 한다.
- 자신에게 쓰는 건 관대하고 직원에게 쓰는 건 염전이다.
- 가족에게는 더럽게 못 하는데 외부 사람들에게는 잘한다.
- 조직 관리 매뉴얼이 없다.
- 급한 것도 아닌데 주말에 괴롭힌다.
- 나이 핑계로 배우려 하지 않는다.
- 오픈된 마인드가 아니라 고정 마인드다.
- 코칭을 못 한다.
- 행복해 보이지 않다.
- 자존감이 낮다.
- 멘탈이 약하다.
- 안 좋은 습관이 많다.

- 자신감이 없다.
- 열정이 없다.
- 소심하다.
- 내성적이다.
- 결정 장애가 있다.
- 인재 활용을 못 한다.
- 인재 관리를 하지 않는다.
- 진정성, 전문성, 신뢰성이 없다.
- 목표, 비전을 공유하지 않는다.
- 비전이 없다.

- 허파에 바람이 많다.
- 메타인지가 약하다.
- 게으르다.
- 표정이 어둡다.
- 웃질 않는다.
- 권위 의식이 흘러내린다.
- 비비불이 많다. (비난, 비판, 불평)
- 절제, 자제를 못 한다.
- 시기, 질투가 심하다.
- 지식이 없어서 무식함이 말에서 나온다.
- 술, 담배, 몸에 무리가 가는 행동들을 자주 하며 건강관리도 하지 않는다.
- 꼰대심, 술을 강요한다.

- 잔소리가 심하다.
- 화를 조절 못 한다.
- 나이 어린 사람을 무시한다.
- 세상, 현실 탓을 잘한다
- 부정적이다.
- 감사할 줄 모른다.
- 현실감이다.

- 뒷담화를 잘한다.
- 공사 구분을 못 한다.
- 잘못을 떠넘긴다.
- 학벌을 내세운다.
- 위기의식이 없다.
- 대박, 한방을 원한다.
- 나직성자체를 내려놓지 못한다. (나이, 직급, 성별, 자존감, 체면)

꼰대십은 죽지 않는다.
다만 회사가 망할 뿐이다!

20,000명 심리 상담, 코칭 하면서 알게 된 것은
꼰대들도 처음부터는 꼰대가 아니었다!
"나는 저런 꼰대가 되지 않아야지!
말만 하고 꼰대가 되지 않기 위한
학습, 연습, 훈련을 하지 않아서
꼰대로 진화하는지도 모르게 진화한다!
나다운 방탄리더십을
학습, 연습, 훈련하지 않으면 단언컨대
당신도 꼰대가 된다! 시작하자!

- 본인도 못 했으면서 주제 파악을 못 한다고 훈계만 한다.

"자신도 젊었을 때는 더럽게 못 했을 거 같은데 잘하라고 훈계만 늘어놓는다."

- 리더값, 나이값을 못 한다.

한 분야 20년 경력이 있으면 직원이 10명, 20명, 100명...이 있으면 그 경력만큼, 인원수만큼 리더십의 내공이 나와야 하는데 "우리 리더는 나잇값을 못 하네, 20년 경력이 의심스럽네, 리더라는 사람이 혼자 있는 사람보다 감정 컨트롤을 못 하네..." 리더가 리더값, 나잇값, 경력값을 못 하면 직원들이 떠난다.

- "나 때는 말이야" (신세계 영화, 최민식 버전)

마! 다 잘 했어, 마! 상사에게, 마! 팀원에게, 마! 부하직원에게, 마! 직장 관계 다 잘 했어, 마! 나 같이만 해라"... "근데 왜 지금은 그따위 밖에 못 하세요? 너나 잘 하세요!"

- 언행일치가 99% 안 된다.

"어제는 이렇게 말하더니 오늘은 다르게 말하네. 도대체 어떻게 하라는 거야? 헷갈리게 하여 리더의 신뢰가 무너진다."

- 꼰대가 뭔지 모른다.

"난 꼰대 아니야. 왜 내가 꼰대야. 이해할 수가 없네?"
"꼰대님! 자신 빼고 주위 사람들은 당신이 꼰대라는 거
다 알아요."

- 본인도 하지 않으면서 하길 바란다.

"젊은 사람이 그것도 못 하냐? 시대에 너무 뒤떨어지는
거 아니냐? 누군가 해줬으면 좋겠다! 재능기부 좋잖아?
00씨 해줘!" "잘 하는 게 있으면 퇴사하는 그날까지 뽕
을 뽑는다."

- 격려, 위로, 배려, 존중이 없다.

"AI 리더야? 전혀 인간미가 느껴지지 않고 정이 안 간
다. 감정을 못 느끼세요? 감정을 못 느끼는 약을 드세
요?"

- 지는 법이 없다. 고집이 세다.

"내 말이 틀렸다고 인정하면 인생 끝난다."라는 태도로
무조건 맞는다고 하면서 끝까지 우긴다.

- 자신 방식이 무조건 답이라는 식으로 무조건 따르라
고 한다.

"내가 해봐서 결과 나왔다. 무조건 해라" 시대, 상황, 스

타일을 무시하고 무조건 자신의 스타일을 강요한다.

- 남자, 여자 성별을 따지며 사람을 차별한다.

남자가 할 일, 여자가 할 일, 따로 있다는 정신으로 사람을 대하고 말, 표정, 행동에서 드러난다.

잘하는 사람과 못하는 사람을 대할 때 티가 나게 다르다. "난 차별하지 않습니다. 오픈 된 마인드입니다" 이런 말만 잘한다. 입을 꼬매고 싶어진다.

- 여자, 남자를 밝히고 성희롱적인 말을 물 먹듯이 한다.

자신 사생활을 알고 싶지도 않은데 자신이 떠들고 다닌다. "내가 말이야 여자들을, 내가 말이야 남자들을... 여자들 이런 거 좋아하지? 남자들 이런 거 좋아하지? 내가 사랑, 연예 박사야" 이런 소리를 듣다 보면 와이프가 너무 불쌍하다. 남편이 너무 불쌍하다.

- 리더가 직원들 눈을 의식하지 않는다.

사람들 다 있는데서 함부로 말을 하고, 잘하지 못한 사람이 있으면 모든 사람 앞에서 무안을 준다.

- 직원들을 월급 충 그 이상으로 생각하지 않는다.

말만 가족처럼 지내고 일하자고 하면서 월급 주는 게

아깝다는 말을 자주 한다. 개미허리만큼 월급 주면서 코끼리만큼 준다고 생각한다.

– 월급에 다 포함 되어있으니 까라면 까라는 식으로 강요한다.
"당신이 직원이었을 때 '까라면 까라!'라는 말을 들으면 당신은 어떤 기분이었는지 물어보고 싶어진다."

– 본인도 하던 방법으로만 하면서 새로운 시도를 하길 바란다.
"나는 이래서 저래서 안 하는 게 아니라 못 할 수밖에 없는 상황이다. 당신들은 한 살이라도 젊으니 후회하지 말고 시도해라" 자신은 시도하는 모습조차도 보여주지 않으면서 하라고만 한다. "당신이나 많이 하세요." 이 말이 목까지 올라온다.

– 속이 좁다, 밴댕이 소갈딱지다.
밴댕이 소갈딱지: 아주 속이 좁은 사람을 두고 밴댕이라고 하는데, 이보다 더 좁아서 밴댕이 속의 아주 작은 부스러기 같은 마음 씀씀이를 뜻함. 너무 잘 삐진다. 한번 삐지면 뒤 끝이 있다.

– 콤플렉스, 열등감, 자격지심, 상처, 트라우마에 민감하다.

리더도 사람이다. 당연히 콤플렉스, 열등감, 자격지심, 상처, 트라우마가 있다. 하지만 리더 위치라면 콤플렉스, 열등감, 자격지심, 상처, 트라우마를 극복하려는 행동을 보여 줘야 직원들이 더 신뢰한다. 더 나아가 직원들 케어까지 해줘야 하는데 보통 사람과 똑같이 사소한 상황에서도 민감하고 발끈한다. 그래서 리더는 셀프 심리 케어를 위해 심리 공부도 부단히 해야 한다. 리더가 콤플렉스, 열등감, 자격지심, 상처, 트라우마라는 족쇄에 묶여 산다면 가족, 팀원, 조직체도 콤플렉스, 열등감, 자격지심, 상처, 트라우마라는 족쇄에 묶여 사는 것이다.

– 눈빛을 보내는 게 아닌 눈총을 준다.

총 중에 가장 힘이 없는 총은? 직원의 사기를 죽이는 총은? 눈총이다. 국어사전에서 눈총은 눈에 독기를 띠며 쏘아보는 시선이다. 눈총으로 직원들 자신감, 열정, 사기, 가능성을 죽인다. 한마디로 팀킬을 하는지도 모르고 눈총을 준다. 눈총은 "너가 되겠냐. 너가 하면 장을 지진다. 너 주제에 넌 안 돼. 월급 충아. 너 못 믿겠어." 눈총의 반대인 눈빛은 "우리 직원 가능성을 믿습니다. 적극적으로 밀어 줄 거니까 해보세요. 믿습니다. 까짓것 못하면 좀 어때요. 일단 해보세요. 잘하지 않아도 괜찮아요. 지금 잘 하고 있는 거 알죠." 성형을 할 수 없는 유일한 곳이 눈빛이다. 눈빛은 삶의 태도에서 나오기 때문이다.

- 리더가 해야 할 일과 내려놓아야 할 일을 조절을 못한다.

리더가 1 ~ 100가지 다 간섭을 하고 다 하려고 한다. 환장할 노릇이다. 최악의 리더다. 만능이 될 필요는 없는데 만능이 되고 싶어 한다. "나 아니면 회사가 돌아가지 않는다."라는 착각 속에 살다보니 함께하는 사람들이 피곤하다. 리더가 다이렉트로 신입, 막내를 컨트롤하려 하면 그 조직은 시스템, 조직력이 없는 것이다. 중간 위치에 있는 조직체원들이 리더의 비전과, 회사의 비전을 못 느낀다. 한마디로 리더의 비전, 회사의 비전이 떨어지는 행동이다. 비전을 느끼지 못한다는 것은 이직할 시간을 당겨주는 것이다.

- 건의 사항을 말하라고 하면서 화내고 빈정 상해한다.

건의 사항이 무언인가? 직원들 애로 사항들을 들어 준다는 것이다. 애로 사항을 다 들어 줄 수는 없지만 참고를 해서 좀 더 좋은 방법을 제시해 줘야 되는데 직원의 애로사항이 아닌 회사의 불만 사항, 리더의 불만 사항이라 받아들여 화를 낸다.

122

- 자신에게 쓰는 건 관대하고 직원에게 쓰는 건 염전이다.

자신 옷, 차, 명품으로 도배를 한다. 당연히 자신 돈으로 산다는데 누가 말을 하겠는가 하지만 직원들이 시킨 음식 메뉴에 공깃밥 하나 추가해서 밥 먹는 리더가 있다. 절약정신이 아닌 제정신이 아니다. 옷, 차, 명품으로 자신 이미지 중요시하지만, 직원들이 자신을 보는 이미지는 생각하지 않는다. 옷, 차 명품으로 도배를 하면 뭐 하겠는가? 직원들이 리더라는 사람을 명품이 아닌 짝퉁으로 보면 답이 없다.

- 가족에게는 더럽게 못 하는데 외부 사람들에게는 잘 한다.

가족과 직원에게 못하면서 외부 사람에게는 잘 보이기 위해서 쌩쑈를 한다.

- 조직 관리 매뉴얼이 없다.

리더십은 조직 관리 매뉴얼이 있냐, 없냐에 따라 순두부 조직, 다이아몬드 조직으로 나뉜다. 신입 매뉴얼 (일 매뉴얼, 동기부여 매뉴얼, 정신교육, 비전 제시 매뉴얼) 경력자 매뉴얼 (연차별 동기부여 매뉴얼, 연차별 정신교육 매뉴얼, 연차별 비전 제시 매뉴얼, 연차별 스킬 UP 매뉴얼) 신입 관리, 직원 관리, 시스템 매뉴얼이 서류로 만들어있지 않고 리더, 간부들

머리에만 있다면 리더십 무지, 무능한 것이다.

- 급한 것도 아닌데 주말에 괴롭힌다.

"내가 리더 되면 직원들 절대 주말에 괴롭히지 않을 거야" 거품 물고 말했던 사람이 악순환을 반복하고 대물림한다. "나도 전 리더에게 주말에 시달리면서 여기까지 왔어! 우리 직원들은 강하게 키울 거야! 스파르타 300이 아닌 3,000이다."

- 나이 핑계로 배우려 하지 않는다.

"우리 리더보다 나이 더 많은 리더들도 기본적인 것을 하고 배우려고 하는데 우리 리더는 디지털 시대에 기본적인 것을 하지 못하고 배우려고도 하지 않네. 자신도 하지 않으면서 직원들에게 변화? 혁신? 을 바라는 태도는 어느 학원에서 배웠을까?"

- 오픈된 마인드가 아니라 고정 마인드다.

이럴 수도 있고, 저럴 수도 있는 상황이 많다 보니 상황에 맞춰 변해야 하는데 자신이 경험한 것으로만 판단하고 자신이 정답이라는 고정된 태도로 인해 직원들의 불만이 쌓인다. 한마디로 통찰력이 없다. 리더의 통찰력이란? 예리한 관찰력으로 상황, 직원들의 장점들을 파악하이 장점을 극대화해 주기 위해 방향 제시를 해준다.

이외 꼰대십 유형을 참고하자.

- 코칭을 못 한다.
- 행복해 보이지 않다.
- 자존감이 낮다.
- 멘탈이 약하다.
- 안 좋은 습관이 많다.
- 자신감이 없다.
- 열정이 없다.
- 소심하다.
- 내성적이다.
- 결정 장애가 있다.
- 인재 활용을 못한다.
- 인재 관리를 하지 않는다.
- 진정성, 전문성, 신뢰성이 없다.
- 목표, 비전을 공유하지 않는다.
- 비전이 없다.
- 허파에 바람이 많다.
- 메타인지가 약하다.
- 게으르다.
- 표정이 어둡다.
- 웃질 않는다.
- 권위 의식이 흘러내린다.
- 비비불이 많다. (비난, 비판, 불평)

- 절제, 자제를 못 한다.
- 시기, 질투가 심하다.
- 지식이 없어서 무식함이 말에서 나온다.
- 술, 담배, 몸에 무리가 가는 행동들을 자주 하며 건강 관리도 하지 않는다.
- 술을 강요한다.
- 회식을 강요한다.
- 잔소리가 심하다.
- 화를 조절 못 한다.
- 나이 어린 사람은 무시한다.
- 세상, 현실 탓을 잘한다.
- 부정적이다.
- 감사할 줄 모른다.
- 현실감이다.
- 뒷담화를 잘한다.
- 공사 구분을 못한다.
- 잘못을 떠넘긴다.
- 학벌을 내세운다.
- 위기의식이 없다.
- 대박, 한방을 원한다.
- 나직성자체를 내려놓지 못한다.
  (나이, 직급, 성별, 자존감, 체면)

방탄리더십과 함께라면

리더시그널

'방탄 리더십'

리더여 가슴이 두근거리는가? 신이 행동할 기회를 주는 시그널이다!

러더여 가슴에 찔림이 있는가? 신이 변화할 기회를 주는 시그널이다!

'방탄 리더십'

꼰대십으로 끌고 갈 것인가?

방탄리더십으로 끌어갈 것인가!

다음은 리더가 회사를 망하지 않게 하는 최고의 방법을 깨닫게 해주는 스토리텔링이다.

회사를 망하게 하는 법
어느 회사에서 '회사를 발전시키는 방법'에 대해서 회의를 하고 있었다. 브레인스토밍을 사용하는 등 여러 가지 방법을 시도했지만 시간이 많이 지나도 마땅한 아이디어가 나오지 않았다. 그러자 어떤 사람이 그럼 반대로 '회사를 망하게 하는 방법'에 대해 토의해 보자고 제의했다. 이번엔 많은 의견들이 나왔다.
"근무 시간에 주식만 한다."
"사우나로 출근한다."
"호텔 뷔페에서 식사를 제공한다."
"…."
그런데, 이제까지 아무 말 없이 회의를 지켜보던 한 간부가 입을 열었다.
"회사를 지금 이대로 둔다."
《회사를 망하게 하는 법》

회사를 망하게 하는 방법을 알면 망하지 않는 회사를 만들 수 있다. 회사는 직원, 고객이 망하게 하는 것이 아니라 리더십이 아닌 꼰대십 때문에 망한다.

방탄리더십으로 자신의 리더십을 보호해야만 꼰대십으로 변질되지 않는다. 리더 자존감, 리더 멘탈, 리더 습관, 리더 행복, 리더 자기계발 학습, 연습, 훈련으로 꼰대십으로 변질되는 것을 막을 수 있다. 다음에 나오는 꼰대십 셀프 테스트로 리더십을 점검하자.

■ 꼰대 자가 테스트

① 사람을 만나면 나이부터 확인하고, 나보다 어리면 반말을 한다.

② 요즘 젊은이들은 노력은 하지 않고 세상 탓만 하는 것 같다.

③ "00란 000인 거야" 하는 식의 진리 명제를 자주 구사한다.

④ 나보다 늦게 출근하는 후배가 거슬린다.

⑤ 후배가 회식 때 수저를 안 놓거나 고기를 굽지 않으면 불쾌하다.

⑥ 자유롭게 의견을 말할 때도 나중에 보면 내가 먼저 답을 제시했다.

⑦ 후배, 부하 직원의 옷차림과 인사 예절도 지적할 수 있다.

⑧ 내가 한때 잘 나갔다는 사실을 알려주고 싶다.

⑨ 연애, 자녀 계획 등의 사생활도 물어볼 수 있다고 생각한다.

⑩ 회식, 야유회에 개인 약속으로 빠지는 사람을 이해하기 어렵다.

⑪ 고위 공직자, 유명 연예인과의 개인적 인연을 자주 이야기한다.

⑫ 나보다 성실하고 열정적으로 일하는 사람은 없는 것 같다.

<JOBKOREA>

▶ 테스트 결과가

- 0~2개 : 양호, 성숙한 어른
- 3~5개 : 주의, 꼰대가 되어가는 중
- 6~9개 : 경고, 이미 꼰대
- 10~12개 : 고위험, 완벽한 꼰대, 자숙 시간 필요

  난 몇 점인가?

리더십인지 꼰대십인지 한 번에 알 수 있는 방법이 있다. 말, 표정, 행동을 봤을 때 "너나 잘하세요."라는 마음이 들면 꼰대십이고 말, 표정, 행동을 봤을 때 "어라! 이분은 다른 사람과 다르다. 보고 배울 것이 많은 사람이야. 새겨들어야겠다."라는 마음이 생기면 리더십이다.

'방탄 리더십'

21세기에는 적보다 무서운 게 꼰대십이다! 꼰대십을 방탄리더십으로 업데이트!

꼰대십: "나 때는 말이야!" "너나 잘 하세요 턱이나 잘 했겠다!"

방탄리더십: "당신은 제가 좋은 사람이 되고 싶도록 만들어요."

리더십이 아닌 꼰대십이 나오는 근본적인 이유는 리더
자존감, 리더 멘탈, 리더 습관, 리더 행복이 제대로 학
습, 연습, 훈련이 안 돼서다.

츄파춥스 리더가 90%다. 츄파춥스는 몸은 막대 하나인
데 머리만 크다. 한마디로 이론만 알고 행동하지 않으니
머리만 산처럼 커지는 것이다. 자신을 따르는 사람이 2
명이면 2배로 리더십 학습, 연습, 훈련을 해야만 사람을
담을 수 있는 리더십 그릇이 커진다.

10명이면? 10배로 리더십 학습, 연습, 훈련해야 한다.
하지만 리더 90%가 따르는 사람이 많을수록 더 게을러

져 사람을 담을 수 있는 그릇이 간장 종지다 보니 속
좁은 리더가 되어 순두부 조직이 된다.

기계는 고쳐 써도 리더, 꼰대는 고쳐 쓸 수 없다?

리더, 꼰대 고쳐 쓸 수 있다. 다만 고쳐 쓰는 방법을 모
를 뿐이다.

꼰대십을 고쳐 쓰는 공식의 시작은 "당신은 제가 좋은
사람이 되고 싶도록 만들어요."라는 리더가 되는 것이
다. 이것이 방탄리더십이다.

'방탄 리더십'

리더의 그릇이 간장 종지? 에스프레소 잔? 리더십 그릇이 커질 때 따르는 사람들이 많아진다.
10명을 품을 수 있는 리더십 그릇이 될 때 5명을 감당할 수 있다.
20명을 품을 수 있는 리더십 그릇이 될 때 10명을 감당할 수 있다.
조직체 인원이 늘지 않는가? 리더의 리더십 그릇이 작기 때문이다!

꼰대십(리더병)을 고쳐 쓰기 위한 방법을 제시해주는 책 《부하직원이 말하지 않는 31가지 진실》을 참고하자.

부하직원이 말하지 않는 31가지 진실(유능한 직원도 무능하게 만드는 리더의 착각)
CHAPTER 1. 동기 유발에 관한 착각 그리고 진실
1. 착각: 한 번 말하면 척하고 알아들어야지!
진실: 당신과 회의 후 직원들은 '교리해석'의 시간을 갖는다.
- 직원의 눈높이로 준비된 메시지를 말하라!

2. 착각: 조직 분위기를 UP시키는 데 회식만한 것이 없다.
진실: 아직도 회식 타령인가? 70퍼센트는 회식을 싫어한다.
- 일터 안에서 UP할 수 있는 방법을 찾아라!

3. 착각: 너무 바빠서 직원들을 만날 시간이 없다.
진실: 리더에게 직원과의 소통보다 중요한 일이 있는가?
- 속 깊은 대화가 가능한 '원온원(One on One) 소통'을 하라!

4. 착각: 칭찬은 고래도 춤추게 한다.

진실: 사람은 고래가 아니다. 내공 있는 리더는 칭찬보다 쓴소리에 능하다.
– 성장을 돕는 칭찬과 약이 되는 쓴소리를 하라!

5. 착각: 나는 사람을 중시하는 경영을 하고 있다.
진실: 대체 직원에 대해 뭘 얼마나 알고 있는가?
– 파악하려 하지 말고, 있는 그대로를 이해하라!
단, 사생활은 빼고

6. 착각: 요즘 애들은 도대체 이해가 안 가!
진실: 이해가 안 간다면 당신은 이미 옛날 사람이다.
– 신세대의 특성은 거역할 수 없는 사회변화 트렌드다!

7. 착각: 동기부여에 물질적 보상만큼 좋은 것은 없다.
진실: 돈을 많이 받는다고 열심히 일하는 것은 아니다.
– 직원의 마음속 네 가지 욕구에 관심을 가져라!

CHAPTER 2. 리더의 자기인식에 관한 착각 그리고 진실
8. 착각: 리더는 출세를 상징하는 자리다.
진실: 리더는 사람과 일을 책임져야 하는 고행의 자리다.
– 명 짧아지지 않으려면 당신의 케렌시아부터 챙겨라!

9. 착각: 우리 직원들은 대체로 나를 잘 따르는 편이다.

진실: 풉! 자기가 왕따 당하는 줄도 모르면서

– 당신과 직원 사이에 존재하는 심리적 거리감을 좁혀라!

10. 착각: 나의 리더십은 문제가 없다.

진실: 문제가 없는 게 아니라 문제를 모르는 것뿐이다.

– 리더 놀음만 안 해도 중간은 간다.

11. 착각: 나는 꼰대가 아니다.

진실: 말하기 좋아하는 당신은 이미 꼰대다.

– '라떼 이야기'는 줄이고 대변인 역할에 충실하라!

12. 착각: 사과는 리더의 권위를 실추시키는 일이다.

진실: 사과는 무너진 신뢰를 되살리는 대표적인 행동이다.

– 실수나 잘못이 있다면 쿨하게 사과하라!

13. 착각: 직원들은 좀처럼 바뀌지 않는다.

진실: 당신이 안 바뀌니까 바뀌지 않는 것이다.

– 변화를 원한다면 몸으로 보여주고 될 때까지 챙겨라!

14. 착각: 리더는 권한을 위임해야 한다.

진실: 솔선수범이 필요할 때 권한을 위임하면 되겠는가?

– 중요한 일은 맡기고, 꺼리는 일에 발 벗고 나서라!

15. 착각: 자기개발은 직원들에게나 필요한 것이다.

진실: 당신은 과거에 일을 잘했던 사람일 뿐이다.

– 솔직히 당신의 앞날이 걱정된다. 뭐라도 좋으니 제발 공부하라!

CHAPTER 3. 사람을 보는 안목에 관한 착각 그리고 진실

16. 착각: 일 잘하는 직원은 만사 오케이!

진실: 당신에게 총애받는 넘버 투가 조직을 망친다.

– 사람이 아닌 룰에 의해 움직이는 조직을 만들어라!

17. 착각: 쓸 만한 인재가 없다.

진실: 인재가 없는 것이 아니라 '인재를 보는 눈'이 없는 것이다.

– 털어서 먼지 안 나는 사람 없고, 닦아서 광 안 나는 사람 없다.

18. 착각: 남성 인력이 여성 인력보다 우수하다.

진실: 여성이 지배하는 세상이다.

– 여성 인력과 함께 일하는 법을 배워라!

19. 착각: 뭐니뭐니 해도 말 잘 듣는 직원이 최고다.
진실: 일이 잘되든 말든 당신에게 YES라고 말하는 게 가장 쉬운 길이다.
- 듣기 싫은 말을 하는 직원을 곁에 두고 일하라!

20. 착각: 인사평가는 리더의 고유 권한이다.
진실: 자의적인 인사평가는 조직과 사람의 운명을 바꾸는 범죄행위다.
- 리더는 평가권자가 아니라 평가대행자일 뿐이다!

21. 착각: '선수' 두 명만 있으면 성과를 만들 수 있다.
진실: 편애하는 리더보다는 차라리 모두에게 악독한 리더가 낫다.
- 소외되는 직원 없이 조직의 전력을 십분 활용하라!

22. 착각: 또라이 직원만 없으면 해볼 만할 텐데
진실: 어딜 가나 또라이는 있다. 당신의 리더십 성패는 또라이 직원에 의해 결정된다.
- 기대하지도 탓하지도 말고, 1퍼센트의 변화를 도와라!

CHAPTER 4. 일하는 방법과 환경에 관한 착각 그리고 진실
23. 착각: 대박을 터뜨릴 수 있는 일을 해야 한다.

진실: 대박 좇다가 쪽박 찬다.

– 핵심에 집중하고, 퀵윈(Quick-Win)으로 자신감을 챙겨라!

24. 착각: 심사숙고하여 의사결정해야 한다.

진실: 직원들 눈에는 심사숙고가 아니라 우유부단이다

– '계획 5퍼센트, 실행 95퍼센트'의 애자일(Agile) 조직을 만들어라!

25. 착각: 리더는 좀 엄격해야 한다.

진실: '엄근진'한 당신에게 직원들은 거짓말을 한다.

– 직원들이 마음 편히 다가올 수 있는 표정과 분위기를 가져라!

26. 착각: 내가 직접 챙겨야 업무 성과가 올라간다.

진실: 마이크로 매니지먼트는 직원을 병든 병아리로 만든다.

– 간섭하지 말고 가슴 뛰는 프로젝트를 하게 하라!

27. 착각: 회사 일은 사무실에서 하는 것이다.

진실: 사무실에서 하는 일을 다른 말로 탁상공론이라고 한다.

– 디지털 혁명 시대에 걸맞은 'WFA 리더십'을 발휘하라!

28. 착각: 직원을 멀티플레이어로 육성해야 한다.

진실: 어설프게 아는 선무당이 사람 잡는다.

- 잘하는 한 가지를 키울 수 있는 성장경험을 제공하라!

29. 착각: 팀워크는 직원들의 마인드 문제다.

진실: 팀워크의 가장 큰 적은 모호함이다.

- 모호한 상황을 찾아 명확한 상태로 바꿔주어라!

30. 착각: 창의적인 인재는 따로 있다.

진실: 창의적인 인재는 창의적인 조직 문화에서 나온다.

- 브레인스토밍을 넘어 브레인트러스트가 가능한 조직 문화를 만들어라!

31. 착각: 우리 부서만 잘하면 된다.

진실: 각자 자기 일만 잘하면 회사는 망한다.

- 유관부서와의 협업은 선택사항이 아닌 리더의 책무다 자기가 왕인 줄 아는 리더야말로 최악! '리더놀음'만 안 해도 중간은 간다!

※ '리더놀음 지수' 자가 진단표

① 직원의 이야기를 시큰둥해하며 건성으로 듣는다.

② 회의나 모임에는 항상 가장 늦게 도착한다.

③ 직원을 손가락으로 오라 가라 하며 자기 자리로 불

러댄다.

④ 직원이 인사를 하면 받는 둥 마는 둥 한다.

⑤ 항상 무게를 잡고 인상을 쓰고 다닌다.

⑥ 직원에게 "야! 야!" 하며 말을 함부로 한다.

⑦ 습관적으로 왕년의 자기 자랑을 한다.

⑧ 도무지 뭘 새롭게 배우려 하지 않는다.

⑨ 회의 때 자기 말만 한다.

⑩ 직원과의 면담 중에도 전화가 오면 다 받는다.

⑪ 명백한 잘못을 하고도 사과하지 않는다.

⑫ 말을 모호하게 해서 무슨 말인지 헷갈리게 만든다.

⑬ 어디에 가든 내가 중심이어야 하고 대접받으려 한다.

■ 진단 결과

- 0~3개: 양호한 단계. 그러나 방심은 금물! 현 상태를 유지할 필요.

- 4~7개: 리더놀음을 시작하는 단계. 아직 늦지 않았으니 분발 필요.

- 8개 이상: 중증 리더놀음 환자. 대오각성 필요.

《부하직원이 말하지 않는 31가지 진실》

꼰대십 치료 백신은 방탄리더십(리더 자존감, 리더 멘탈, 리더 습관, 리더 행복, 리더 자기개발)학습, 연습 훈련이다.

1. 꼰대십: 운, 대박, 한방에 집착한다.
   방탄리더십: 목표, 방향에 집중한다.

2. 꼰대십: 어려움이 닥치면 피하려고만 한다.
   방탄리더십: 힘든 상황을 정면으로 즉시 하고 극복하려 한다.

3. 꼰대십: 말이 늘 바뀐다.
   방탄리더십: 지키지 못할 거면 말하지 않는다.

4. 꼰대십: 늘 시간이 없다고 한다. 시간에 쫓겨 산다.
   방탄리더십: 계획적으로 시간을 쓴다. 시간이 따라오게 한다.

5. 꼰대십: 혼자 잘 살려고 말, 행동한다. 혼자 잘 사는 시스템을 만든다.
   방탄리더십: 함께 잘 살려고 말, 행동한다. 함께 잘 사는 시스템을 만든다.

6. 꼰대십: 늘 변화 없는 방법으로 하면서 노력이 배신한다고 한다.
   방탄리더십: 어제보다 0.1% 다르게 변화, 나음, 성장하기 위한 올바른 노력
   을 한다.

7. 꼰대십: 리더십 공부, 책, 학습.. 리더에 연관된 배움은 필요 없다고 한다.
   방탄리더십: 리더십 공부, 책, 학습..리더에 연관된 배움은 "죽을 때까지 해
   야 한다."라는 태도로 행동한다.

8. 꼰대십: 인정받기 위해 수단, 방법 가리지 않는다.
   방탄리더십: 인정받기 위해서 행동하지 않았는데도 알아서 인정해 준다.

9. 꼰대십: 자자자자멘습궁은 필요 없다고 생각한다.
   방탄리더십: 자자자자멘습궁이 리더십의 가장 기본이라고 생각하며 업그
   레이드하려고 행동한다. (자존감, 자신감, 자기관리, 자기계발, 멘탈, 습관, 긍정)

10. 꼰대십: 탓탓탓! 불만의 인생을 산다. (가정 탓, 직원 탓, 세상 탓)
   방탄리더십: 덕! 덕! 덕! 감사의 인생을 산다.
   (가정 덕분에, 직원 덕분에, 세상 덕분에)

[리더십 개발의 10가지 원칙]

1. 리더십에 대한 환상이나 두려움을 버려라.
리더십을 갖추기 위해 가장 먼저 버려야 할 것은 바로 리더십에 대한 환상이나 두려움이다. 리더십은 타고난 소수만의 전유물이 아니다. 그러니 '나도 얼마든지 성공한 리더가 될 수 있어!'라든지 '리더십 개발은 별것 아니야!'라는 생각으로 리더십에 대한 심리적 장벽을 없애기 바란다.

2. 내 리더십의 벤치마킹 대상은 스티브 잡스나 잭 웰치가 아니다.
많은 이들이 좋은 리더가 되겠다고 마음먹은 후에 가장 먼저 하는 일이, 세계적인 리더의 자서전이나 리더십 비결에 대해 쓴 책을 읽는 것이다. 물론 세계적인 리더의 노하우를 따라 하는 것은 나쁘지 않다. 하지만 이는 기초 문법도 튼튼히 하지 않고 고급 영어부터 공략하는 것과 같다. 그보다는 내게 맞는 리더십과 매일 실천할 수 있는 행동을 찾아서 지속적으로 실행하는 것이 훨씬 좋은 시작이다.

3. 성공보다 성장에 초점을 맞춰라.
성공은 상대적인 개념이어서 끊임없이 타인과 나를 비

교하게 만들지만, 성장은 초점이 '나'에게 맞추어져 있기에 훨씬 더 건강하다. 그러니 리더십 개발의 궁극적인 목적을 특정 지위를 획득하는 것보다는 '지금의 나보다 더 성장한 내년의 나'에 맞추기 바란다.

4. 일 잘하는 리더가 꼭 성공하는 것은 아니다.

대부분의 사람들이 역량이 뛰어나야 리더로서 성공할 수 있다고 믿는다. 하지만 뛰어난 역량은 성공한 리더가 되기 위한 필요조건이지 충분조건이 아니다. 리더로서 성공하기 위해 필요한 것은 역량보다는 공감 능력이다. 아무리 뛰어나도 리더는 선수가 아니라 감독이라는 사실을 꼭 기억하자.

5. 리더십은 이벤트가 아닌 습관이다.

일관성과 진정성이 무엇보다 중요하다. 이벤트성 행위야말로 리더십 개발에서 가장 지양해야 할 일이다. 무엇이든 습관이 되어 몸에 익어야 어색하지 않고 자연스러운 법. 리더십도 습관처럼 일관되고 진심 어린 행동이 바탕이 되어야만 얻을 수 있다.

6. 지식습득이 아닌 '실천 지향적' 배움에 집중하자.

리더십 전문가인 워렌 베니스는 리더와 직원을 구분하는 가장 큰 차이는 '끊임없는 배움'이라고 말했다. 하지만 한 가지 기억해야 할 것이 있다. 리더에게 배움의 궁극적인 목적은 지식 습득이 아니라 '실천'을 통한 리더십 개발과 성과 창출이어야 한다.

7. 리더십과 자기관리를 혼동하지 말자.
리더십과 자기관리의 차이는 명확하다. 리더십은 '구성원 또는 구성원과의 관계'에 초점을 두는 반면, 자기관리의 초점은 '나 자신'이다. 자신의 역량을 개발하려는 노력은 대상과 초점이 '나'이기 때문에 리더십과는 조금 차이가 있다.

8. 차별화는 리더 개인의 성공 열쇠다.
제품과 서비스에만 차별화가 필요한 것이 아니라 리더십에도 차별화가 필요하다. 나만의 역량과 색깔을 만들고자 꾸준히 노력하다 보면, 다른 사람들이 나를 볼 때마다 떠올리는 이미지, 행동, 태도 등이 생겨날 것이다. 이를 통해 다른 사람과 차별화할 수 있도록 의도적으로 노력해야 한다.

9. 리더십 개발은 자기 인식에서 출발한다.
리더십은 한마디로 'nothing but self-awareness', 결국 자기 인식이다. 리더십 개발의 가장 중요한 첫 단계는 내가 지금 어떤 상사로 인식되고 있는지 객관적이고 겸

허하게 파악하는 것이다. 자기 인식이 중요한 이유는 주관과 객관의 엄청난 격차 때문이다. 무려 80%의 사람들이 스스로를 과히 나쁘지 않은 평균 이상의 리더라고 생각하는 반면, 80%의 직원이 자기 상사의 리더십이 형편없다고 말한다.

10. 리더는 주인공이 아니다.

리더가 되고 지위가 높아질수록 지위 중독에 빠져, 무의식중에 자신이 주인공이라고 여기며 행동하곤 한다. 물론 리더가 된다는 것은 중요한 인물로 성장한 것이라 볼 수 있다. 하지만 자신이 주인공이라는 생각으로 직원들을 이끌기 시작하면, 그들의 역량이나 경험, 노하우 등을 존중하지 않고 독단적으로 의사결정을 하거나 자만에 빠져 고립될 가능성이 높아진다.

《사람을 남겨라》

5%의 사람은 리더가 하는 말만 들어도 믿는다.
그러나 95%의 사람은 실제 행동을 봐야 믿는다.
리더가 솔선수범해야 조직원이 따르고,
그 조직에 생기가 돈다.

"리더는 종합 예술가가 되어야 한다.
알아야 하고(知), 행동해야 하며(行)
시킬 줄 알아야 하고(用)
가르칠 수 있어야 하며(訓)
사람과 일을 평가할 줄 아는 것(評)
- 삼성 이건희 회장 리더의 덕목(德目) -

특허청 등록
최보규 리더동기부여 코칭전문가
등록 번호: 제 40-2128786호

커리큘럼

클래스명	내용	2급 (온,오프라인)	1급 (온,오프라인)
CLASS 1 방탄 리더십 본질	노벨상 수상자 리더십 성공한 리더의 리더십은 다 잊어라!	1H	선택한 과 5H -------- 선택한 분야 5H
CLASS 2 방탄 리더 자존감, 멘탈	스트레스 관리, 마인드컨트롤이 잘 되는 리더 자존감, 멘탈 배터리 고속 충전하는 방법	1H	
CLASS 3 방탄 리더 습관, 행복	삼성(진정성, 전문성, 신뢰성)을 높이는 습관을 통해 리더 행복을 지키는 방법	1H	
CLASS 4 방탄 리더 자기계발 방탄 리더 동기부여	리더 자기계발,동기부여책 200권, 영상 300개, 교육을 들어도 리더 자기계발,동기부여가 안 되는 이유? 방탄 리더십 셀프 충전 사용 설명서 (도구 설명)	1H	
CLASS 5 방탄 리더 품위유지의무	퇴사를 막고 인재가 오래 머물게 하는 방탄 리더 품위유지의무 10계명 총 정리	1H	

국가등록 민간자격증

★ 자격증명: 리더십코칭전문가 2급, 1급
★ 등록번호: 2023-000126
★ 주무부처: 교육부
★ 자격증 종류: 모바일 자격증

리더십코칭전문가 모바일 자격증 화면

BULLETPROOF LEADER MILITARY ACADEMY

✔ 일시, 시간 ──────────

▶ 수시 모집 (상담)

▶ 13:00 ~ 18:00 (기본 5시간)
　시간 조정 가능!(10H, 15H, 20H)

✔ 자기계발 비용, 인원 ──────

▶ 비용 상담

▶ 1:1 코칭(온,오프라인)

✔ 장소, 상담 ──────────

▶ 장소 상담 후 상황에 따라 변동 사항

▶ 한 번의 상담이 인생 터닝포인트
　150년 A/S, 관리, 피드백
　최보규 원장 010-6578-8295

리더십코칭전문가 1급

한 개 과 선택! 5시간 집중 코칭!

방탄 리더십과

리더 사명감과	리더 기본기과	리더 태도과
리더십 식스펙(PT)과	리더 감정컨트롤과	리더 인간관계과
리더 소통과	리더 스토리텔링과	리더 스피과
리더십 은퇴 준비과	리더 천재일우과	리더 7대 의무교과
리더 자존감과	리더 멘탈과	리더 습관과
리더 행복과	리더 자기계발, 동기부여과	리더 재테크과
리더 방탄book기술력과	리더 책 쓰기, 출간과	리더 유튜버과
리더 강사과	리더 코칭과	리더 인재양성과

리더십코칭전문가2급
필기/실기

#. 자격증 검증비, 발급비 50,000원 발생
　(입금 확인 후 시험 응시 가능)
▶ 0강~10강(객관식):(10문제 = 6문제 합격)
▶ 11강(주관식):(10문제 = 6문제 합격)
▶ 시험 응시자 문자, 메일 제목에 리더십코칭전문가
　2급 시험 응시합니다.
　최보규 010-6578-8295 / nice5889@naver.com
▶ 네이버 폼으로 문제를 보내주면 1주일 안에 제출!
　합격 여부 1주일 안에 메일, 문자로 통보!
　100점 만점에 60점 안되면 다시 제출!

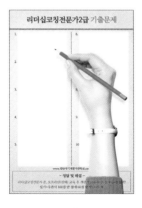

리더십코칭전문가1급
필기/실기

리더십코칭전문가2급 취득 후 온라인(줌), 오프라인 선택 후 방탄리더사관학교 25가지 과에서 한개 과 선택!

한 분야 5시간 집중 코칭 후 2급과 동일하게 필기시험, 실기시험 (코칭 비용 상담)

자신 분야 스펙, 내공, 가치, 값어치

카페에서 냅킨에 그린 그림이 1억?

카페에 피카소가 앉아 있었습니다. 한 손님이 다가와 종이 냅킨 위에 그림을 그려 달라고 부탁했습니다. 피카소는 상냥하게 고개를 끄덕이곤 빠르게 스케치를 끝냈습니다. 냅킨을 건네며 1억 원을 요구했습니다.

손님이 깜짝 놀라며 말했습니다. 어떻게 그런 거액을 요구할 수 있나요? 그림을 그리는 데 1분밖에 걸리지 않았잖아요. 이에 피카소가 답했습니다.

아니요. 40년이 걸렸습니다. 냅킨의 그림에는 피카소가 40여 년 동안 쌓아온 노력, 고통, 열정, 명성이 담겨 있었습니다. 피카소는 자신이 평생을 바쳐서 해온 일의 가치를 스스로 낮게 평가하지 않았습니다.

《확신》

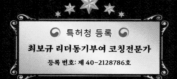

특허청 등록
최보규 리더동기부여 코칭전문가
등록 번호: 제 40-2128786호

★★★★★ 차별이 아닌 초월 시스템 ★★★★★

누구나 방탄 리더가 될 수 있었다면
난 절대로 방탄리더사관학교를 선택하지 않았을 것이다!

| Google 자기계발아마존 | ▶ YouTube 방탄자기계발 | NAVER 방탄리더사관학교 | NAVER 최보규 |

이코노미 방탄 리더PT

기본 5H : 3,000,000원

CHECK POINT

☑ 기본 1회(1일=5H)
☑ 방탄 리더십 **기본 교육**(자격증 포함)
☑ 150년 A/S, 관리, 피드백

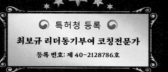

★★★★★ **차별이 아닌 초월 시스템** ★★★★★

누구나 방탄 리더가 될 수 있었다면
난 절대로 방탄리더사관학교를 선택하지 않았을 것이다!

| Google 자기계발아마존 | ▶ YouTube 방탄자기계발 | NAVER 방탄리더사관학교 | NAVER 최보규 |

비지니스 방탄 리더PT

기본 10H : 5,000,000원

CHECK POINT

☑ 기본 1회(1일=5H/2회)

☑ 방탄 리더십 **중급 교육**(자격증 포함)

☑ 150년 A/S, 관리, 피드백

방탄 리더십 시스템 PT

***** 차별이 아닌 초월 시스템 *****

방탄 리더십과

리더 사명감과	리더 기본기과	리더 태도과
리더십 식스펙(PT)과	리더 감정컨트롤과	리더 인간관계과
리더 소통과	리더 스토리텔링과	리더 스피치과
리더십 은퇴 준비과	리더 천재일우과	리더 7대 의무교육과
리더 자존감과	리더 멘탈과	리더 습관과
리더 행복과	리더 자기계발, 동기부여과	리더 재테크과
리더 방탄book기술력과	리더 책 쓰기, 출간과	리더 유튜버과
리더 강사과	리더 코칭과	리더 인재양성과

사명감은 스펙이다. 학습, 연습,
훈련으로 만들어진다.

- 사명감은 스펙이다. 학습, 연습, 훈련으로 만들어진다.

★ 사명감 고.틀.선.편 깨기(고정관념, 틀, 선입견, 편견)
사람들 90%가 잘 못 알고 있는 사명감!

사명감이란? 주어진 임무를 잘 수행하려는 마음가짐.
20,000명 심리 상담, 코칭 하면서 알게 된 것은 사람들 90%는 사명감을 너무 크게 생각한다는 것이다. 사명감 뜻 그대로 주어진 임무를 최선을 다하여 수행하는 마음 가짐인데 마치 사람을 구해야만, 큰일을 해야만, 큰 결과를 내야만, 큰 업적을 이루어야만, 사람들에게 존경받을 만한 일을 해냈을 때... 등 아무나 할 수 없는 것을 했을 때에 사명감을 말하다 보니 사명감이라는 단어가 너무 귀하고 어려워서 보통 사람들에게는 상상할 수 없는 단어가 되어 버린 시대에 살고 있다.

자신의 주위 사람들을 곰곰이 생각해 보자. 간접적인 인연이 아닌 직접적인 인연 중에 직접적인 인연이라 하면 전화해서 바로 만날 수 있는 사람을 뜻한다. 사명감이라는 단어를 생각나게 하는 사람이 있는지? 몇 명이나 되는가? 한 명도 없는가? 아마 없을 것이다. 최보규 방탄 사명감 코칭전문가가 왜 단호하게 한 명도 없을 것이라고 말을 했을까? 그 이유는 자신이 사명감 없는 인생을 살고 있다면 사명감을 가지고 사는 사람을 만날 수 없다.

사명감 있는 사람을 만나더라도 사명감 있는 사람은 알아서 떠나간다. 왜? 자연의 법칙, 인생의 법칙인 사람은 끼리끼리, 유유상종이기 때문이다.

드문 일이지만 설령 자신은 사명감이 없는 인생을 사는데 주위 사람들 중에 사명감을 가지고 사는 사람이 있을 수 있다. 그 사람은 천재일우(천 년에 한 번 만난다는 뜻으로 좀처럼 만나기 어려운 기회)가 왔다는 마음으로 사명감을 가지고 있는 사람을 자신 편으로 만들기 위해 온 정성을 다해야 한다.

20.000명 심리 상담, 코칭 할 때 사명감에 대해 물어보는 사람이 있었다.

▶ 상담 스토리

내담자: 사명감이 없어도 인생을 잘 살 수 있는 거 아닌가요? 사명감이 굳이 있어야 하나요? 사명감 없이도 잘 사는 사람들 많던데요!

방탄사명감 코칭전문가: 사명감이 없어도 됩니다. 사명감 없이도 잘 사는 사람들 있습니다. 하지만 사명감이 있다고 나다운 인생, 행복한 인생을 사는 것은 아니지만 나다운 인생, 행복한 인생을 사는 사람들은 사명감이 100% 있다는 것을 명심하세요.

20,000명 심리 상담, 코칭 하면서 알게 된 사명감을 왜 만들어 가야 하는지 그 이유 13가지를 알려주겠다.

♥ 사명감을 만들어 가야 되는 이유 13가지!

1. 주위 사람 말에 흔들리지 않게 해준다.
2. 자신의 가능성, 자신감을 향상시켜 준다.
3. 스트레스 관리를 잘할 수 있게 해준다.
4. 자신을 진짜 사랑하는 방법을 알게 해준다.
5. 외로움, 우울한 관리를 더 잘할 수 있게 해준다.
6. 나 너가 아닌 우리라는 마음을 알게 해준다.
7. 자신도 필요한 존재 도움이 되는 사람이구나. 느끼게 해준다.
8. 부정적인 비교보다는 긍정적 비교를 더 하게 해준다.
9. 가진 것이 부족해서 생기는 불만보다는 감사를 더하게 해 준다.
10. 자격 지심, 콤플렉스, 트라우마, 상처를 관리할 수 있게 해준다.
11. 삶의 의욕을 넘치게 해준다.
12. 자신의 가치를 찾게 해준다.
13. 불행, 고난, 역경 힘든 시기가 왔을 때 이겨낼 수

있게 해 준다.

스마트폰 배터리는 숨만 쉬어도, 가만히 두어도 소모가
되듯 사람이 하는 모든 것은 소모가 된다. 사명감도 마
찬가지이다. 사명감을 한번 만들었다고 계속 지속되는
것이 아니다. 배터리 충전하듯이 사명감 배터리를 충전
해야 한다. 20,000명 심리 상담, 코칭 하면서 알게 된
사명감 배터리 초고속 충전하는 방법!

사명감이라는 전기 자동차의 배터리를 초고속 충전하는
것은 방탄 리더 사명감 7단계(리더 사명감 본질, 리더
자존감 사명감, 리더 멘탈 사명감, 리더 습관 사명감, 리
더 행복 사명감, 리더 자기계발 사명감, 리더 코칭 사명
감) 시스템이다.

사명감은 스펙이다. 사명감 학습, 연습, 훈련으로 만들어
가는 것이다. 어떻게 자신, 자신 분야 사명감을 만들어
갈 것인가? 세계 최초 공개한다. 사명감 만드는 방법,
공식!

리더 사명감
초고속 충전 7단계

- ⚡ 방탄리더십(삼성리더십) 사명감
- ⚡ 방탄 리더 자존감 사명감
- ⚡ 방탄 리더 멘탈 사명감
- ⚡ 방탄 리더 습관 사명감
- ⚡ 방탄 리더 행복 사명감
- ⚡ 방탄 리더 자기계발 사명감
- ⚡ 방탄 리더 코칭 사명감

스마트폰 가지고만 있어도 배터리가 소모가 되듯
사명감 배터리 또한
숨만 쉬어도 소모가 되기에
꾸준한 사명감 충전이 필요하다.

www.방탄자기계발사관학교.com

| Google 자기계발아마존 | ▶YouTube 방탄자기계발 | NAVER 방탄자기계발사관학교 | NAVER | 최보규 |

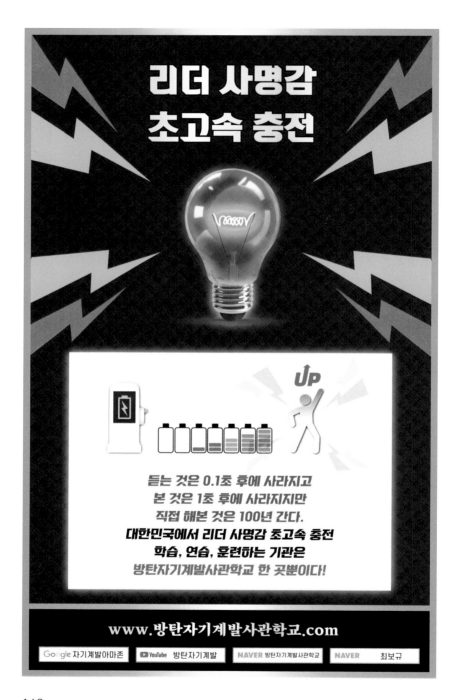

세상에는 3부류에 사명감을 배우는 사람이 있다!

사포자(사명감 포기자)

수많은 사명감 영상, 글... 등을 봤지만 전혀 동기부여가 되지 않아 사명감을 포기한 사람.

사포 예정자

수많은 사명감을 독서, 자격증, 교육, 코칭을 받지만 그때뿐이고 시간, 돈 낭비만 하는 사람.

사케시(사명감 케어 시스템)

사명감을 시스템 안에서 사명감 주치의에게 150년 a/s, 피드백, 관리 받으면서 자신 분야 변화, 성장을 초고속으로 준비 하는 사람.

사명감은 만들어지는 것이 아니라 만들어 가는 것이다. 세계 인구 80억 명이라면 사명감 또한 80억 개다. 나다운 사명감을 만들어 가야만 초고속 충전이 되고 오래 지속된다. 다음은 사명감을 각 분야, 자기답게 초고속 충전하는 사람들의 스토리텔링 내용이다. 참고해서 내 위치에서 내 분야에서 어떻게 사명감을 초고속 충전하고 만들어 갈 것인가를 생각하면서 벤치마킹하길 바란다.

내 그림
엄마가 1000조각 퍼즐을 내민다.
세계 지도다.

하나하나 맞춰 가니
점점 모양이 드러난다.
태평양, 대서양, 아시아, 아메리카...
지도책에 있던 모양대로
오대양 육대주
달달달 외웠던 위치대로...

이때 끼어드는 엄마의 말.

인생도 이 퍼즐 조각 같은 거야.
이렇게 하나하나 맞춰 가는 거지.
그러니 한순간도 헛되이 보내지 마.

순간 어디선가 스틱이 달려들어
내 마음을 두들겨 팬다.
쿵쾅쾅쾅 퍽!
이미 만들어진 조각으로 맞춰 가는 거
누군가 그려 놓은 그림을 완성하는 거
이게 내 인생이라니!
맞춰 가던 퍼즐 조각을 모두 흩뜨려 버렸다.

내 퍼즐 조각은
내 그림으로 완성할 거다.
아메리카를 아시아 밑에 갖다 붙이더라도
《나는 나다》

▶ 나다운 사명감

사명감은 누구와 같을 수가 없다. 누군가와 같다면 사명감이 아니다. 사람 지문이 다르듯 자신의 지문은 세계 인구 80억 명 중 하나이듯 나다운 사명감은 나답게 만들어 가야 한다.

강사 사명감 중요성!

1. 사명감이 있다고 안 힘든 게 아닙니다.
   힘듦 속에서 감사를 더 찾습니다!
2. 사명감이 있다고 지치지 않는 게 아닙니다.
   지침 속에서 잠시 숨 고를 수 있는 여유를 찾습니다!
3. 사명감이 있다고 무조건 성공하는 게 아닙니다.
   성공보다 더 값어치 있는 가치를 만들어 갑니다!
4. 사명감이 있다고 무조건 돈 많이 버는 게 아닙니다.
   돈에 끌려다니는 강사가 아닌 자신의 강사 방향을
   유지 하며 돈이 따라오게 만듭니다!

사명감이란 가랑비입니다. 눈에 확 보이지 않지만 비인 듯 아닌 듯 천천히 오면서 어느 순간에 젖어 들어 자신이 하는 일을 숙성시켜 주는 것입니다.

《나다운 강사 2》

▶ 강사 사명감

앞자리에서 말하는 직업을 가지고 있는 사람(강사, 리더, 교수, 선생님...)이라면 그 누구보다 자신 분야에 사명감이 있어야 한다. 말하는 대로 살기 위해서, 가르친 대로 살기 위해서 자신 삶에서 솔선수범해야 한다.

부산 범내골역에서 구두 닦는 아저씨. 12살에 시작하여 근 50년을 닦았단다.

"이 바닥에선 10년을 일해도 초보자야. 나처럼 닦을 수는 없지." 하는데 자부심이 묻어난다.

"구두 닦는데 비가 더는 안 오겠지요?" 했더니 구두는 원래 비 오는 날 닦는 거라며 그래야 오래 신을 수 있단다. 어려울 때 준비하고 불경기 때 투자하라는 박사님들 말보다 더 현실감 있게 들린다.

《내가 어리석어》

▶ 구두 케어 사장님 사명감

경력은 스펙이 아니다. 20세기 때는 한 분야 10년 경력이면 인정을 받았다. 21세기 지금 시대는 어떤가? 경력만 있다고 인정해 주지 않는다. 자신 분야에 삼성(진정성, 전문성, 신뢰성)이 느껴져야 한다. "구두는 원래 비오는 날 닦는 거라며 그래야 오래 신을 수 있다."라는 구두 케어 사장님의 말 한마디에서 삼성, 사명감이 느껴진다.

진짜 vs 가짜 여러분의 꿈은?

1. 진짜 꿈: 계획이 따른다.

   가짜 꿈: 운을 바란다.

2. 진짜 꿈: 과정을 참을 만하게 한다.
   가짜 꿈: 현실에서 도피하고 싶게 만든다.

3. 진짜 꿈: 결정의 기준이 된다.
   가짜 꿈: 불만의 기준이 된다.

4. 진짜 꿈: 잠자는 시간도 아깝게 만든다.
   가짜 꿈: 꿈(잘 때 꾸는) 속에서 답을 찾고 싶다.

5. 진짜 꿈: 뜻이 같은 사람과 함께하려고 한다.
   가짜 꿈: 다른 사람이 내 것을 가로챌까봐 두렵다.

6. 진짜 꿈: 진짜 꿈을 꾸는 자는 행동을 한다.
   가짜 꿈: 가짜 꿈을 꾸는 자는 끊임없이 말을 한다.

7. 진짜 꿈: 어떻게든 시간을 만들어 낸다.
   가짜 꿈: 항상 시간이 부족하다고 불평한다.

8. 진짜 꿈: 내 꿈을 누가 알아주기를 바라지 않는다.
   가짜 꿈: 자신의 망상을 천하가 알아주기를 바란다.

9. 진짜 꿈: 문제가 생기면 자신을 탓한다.
   (결국 자신이 해결할 수 있다고 믿는다.)

가짜 꿈: 문제가 발생하면 세상을 탓한다.
(누군가 해결해 줘야 된다고 생각한다.)

10. 진짜 꿈: 진짜 꿈이 있는 사람 주변으로 사람들이 모인다.

　가짜 꿈: 망상을 듣고 나면 그 사람과 점점 멀어지게 된다.

<페이스북 페이지: 인생 공부>

▶ 꿈 사명감

목표, 꿈, 이루고 싶은 것, 방향... 이 있다고 사명감이 만들어지는 건 아니다. 하지만 사명감을 만들어 가는 사람들, 사명감이 있는 사람들은 목표, 꿈, 이루고 싶은 것, 방향이 있다는 것을 명심해라!

사실상 강아지가 아니라 사람을 교육하는 거예요!
"'세상에 나쁜 개는 없다(EBS 프로그램)'를 보면 강아지들이 보이는 문제 행동의 원인을 즉시 찾아내던데, 혹시 답을 못 찾았던 경우도 있나요?"
"매번 있어요." "그럴 땐 어떻게 하죠?"
"사실 제가 만든 환경으로 데리고 오면 해결할 수 있는데, 결국 강아지는 보호자들과 함께 살잖아요. 보호자가 가능한 방법을 찾아야 하니까 고민이 많죠. 강아지가 먹

175

는 사료나 산책 코스, 심지어 미용 스타일까지 사실 사람이 선택한 거잖아요. 강아지의 행동은 결국 함께 사는 사람들로부터 오는 건데, 가족들이 바꾸려는 의지가 없다면 그 강아지는 큰일 난 거죠."

"방송을 보면 그럴 때 직설적으로 말하더군요."

"그렇긴 한데, 순서가 있더라고요. 시간이 걸리더라도 하나씩. '당신의 개도 최선을 다해 노력하고 있다'라는 걸 보여주려고 하죠. 그래서 당신이 변하면 개도 변할 거라고 말해요."

"사람부터 변해야 하는 거네요." "우리도 자주 그러잖아요. '너부터 제대로 하라'라고 보호자들도 '개부터 변하면 나도 변할게'라는 마음들이 있어요. 그래서 어떻게든 강아지가 나아지려고 있다는 걸 보여주려고 해요." "사실상 사람을 교육하는 거군요?" "강아지 훈련사라고 속이고 가는 거죠."

<개통령 강형욱>

▶ 반려견 조련사 사명감

"나쁜 개는 없다. 나쁜 견주만 있다." 말처럼 반려견의 행동 교정보다 더 중요한 것은 견주가 반려견을 대하는 자세 교정으로 반려견을 올바르게 케어하고 견주가 반려견을 키우는 방향을 잡아주는 것이 반려견 조련사의 사명감이다.

TOMS 창립자 블레이크에게 물었다.

자신의 사명을 찾는 방법은 무엇인가요?

그가 대답했다.

전 엄청나게 거창한 계획을 가지고 TOMS를 만든 건 아니었어요.

그저 아르헨티나 어느 지역의 아이들을 돕기 위해서 몇 켤레의 신발을 만든 거죠.

당시에 저는 다른 회사의 오너였고, TOMS는 그저 작은 프로젝트였어요.

하지만 그 작은 프로젝트를 진행하다 보니 규모가 점점 커진 거죠. 그러다 한 번은 아르헨티나 어느 지역에 가서 TOMS 신발을 나눠주고 있었어요.

그런데 한 아주머니가 울고 계시더라구요. 슬픈 일이 있으신 건가? 하고 생각했죠.

근데 그게 아니더라구요. 그건 기쁨의 눈물이었어요.

신발 한 켤레 밖에 없어서 매일 학교에 가지 못하는 자신의 아이들에게 TOMS는 신발 이상의 선물 이었던 거예요. 그때 저도 눈물을 흘리면서 깨달았어요. 이것이 내가 올인할 수 있는 길이라는걸. 이 일이 곧 나의 사명 이라는걸. 사명감은 거창한 곳에서 생기는 게 아니에요. 작은 것부터 시작하고 경험해나가면서 자신의 확신을 키워나가는 거랍니다.

<꿈톡>

▶ TOMS 창립자 블레이크 사명감
어려운 사람을 돕기 위한 작은 행동들이 자신 분야 사명감을 만들었다. 내가 어려운 사람을 돕는 것이 아니라 어려운 사람이 내게 도울 기회를 주는 것이다.

36대 린든 존스 대통령이 미 항공우주국(NASA)를 방문했습니다.
대통령은 로비를 지나며 지저분한 바닥을 닦고 있는 청소부를 보게 됐습니다. 청소부는 세상 가장 행복한 사람처럼 콧노래를 부르고 있었습니다. 대통령은 그에게 다가가 치하했습니다. 여태껏 자신이 본 청소부 중에서 가장 훌륭하다고요. 그런데 청소부의 대답은 더 멋집니다. "저는 일개 청소부가 아닙니다. 저는 인간을 달에 보내는 일을 돕고 있어요."
《에너지 버스1》

▶ NASA 청소부 사명감
남들이 인정해 주는 직업을 해야만 사명감이 생기는 것이 아니라 지금 하고 있는 일을 어떻게 의미부여, 동기부여하는지에 사명감이 만들어진다.

사명감을 가지고 일하면 모두 숭고하다.
2011년 1월 소말리아 해적에게 피랍된 대한민국 삼호해

178

운 소속 선박 삼호주얼리호를 소말리아 인근의 아덴만 해상에서 구출한 작전.

이때 삼호주얼리호의 석해균 선장은 선원들을 살리기 위해 자신의 목숨을 걸고, 작전에 협조하여 자신은 총상을 입었지만, 선원들을 살리는데 큰 공을 세웠다. 그것이 바로 '아덴만의 여명작전'이다.

구출 후 목숨이 위태로웠던 석해균 선장의 안위는 뒷전으로 하고 관계자들은 홍보와 보여주기에만 열을 올렸다. 중요한 석해균 선장의 치료 앞에서는 묵묵부답, 외면만이 존재했다. 수억 원에 달하는 이송비와 치료비를 떠안으며 석해균 선장을 치료해 줄 어떤 이도 나타나지 않았다.

그때, "이송비 4억 4천만 원은 내가 낼 테니 일단 이송하라" 모두가 망설이던 그때 누군가 망설임 없이 말했다. 그가 바로 이국종 교수이다.

"석해균 선장이 치료받을 때는 많은 사람들이 앞다퉈 병원을 찾았어요. 그런데 예산 지원에는 모두 나 몰라라 하더군요" 그때 이국종 교수는 모든 걸 떠안고 석해균 선장의 생명을 살리기 위해 고군분투했습니다.

이국종 교수의 아버지께서 6.25전쟁 때 지뢰를 밟아 눈과 팔다리에 부상을 입으셔서 장애 2급 유공자가 되셨다고 한다. 그때 이 사회가 장애인들에게 얼마나 냉랭하고 비정한지 알게 된 이국종 교수는 의과 대학에 진학하기로 마음을 먹었다고 한다.

이국종 교수가 현재 일하고 있는 중중외상특성화 센터는 질병이 아닌 사고에 의해 외상을 입은 환자들만을 진료하는 센터이다. 매일매일 환자를 살릴 수 있는 골든타임을 위해 응급헬기에 몸을 싣는 이국종 교수.
그에게 직업은 사람들이 선망하는 의사가 아니라 사명감을 가지고 일하는 숭고한 그만의 철학이 있는 의사다.
"어떤 때는 이 세상에 환자하고 저밖에 없는 것 같아요. 한마디로 제 손에서 끝을 내야 해요. 제가 밀리면 환자가 죽고, 제가 좀 더 잘하면 환자가 살 수 있는 이 두 가지 상황밖에 없거든요."

시간이 흘러 세상이 발전할수록 아쉬워지는 한 가지가 있습니다. 사명감을 가지고 일하는 사람들.. 물론 지금도 사고 현장, 기술 현장 곳곳에서 사명감을 가지고 일하는 분들이 많습니다. 그러나, 아쉬운 건 그런 분들이 점점 줄고 있다는 것입니다.
좀 더 쉬운 일, 겉이 화려한 일을 찾고, 남들에게 보여주기 위한 직업을 구하기 위해 어려운 공부를 하는 사람들이 많아지고 있다는 뜻이지요.

우리의 미래는 아이들입니다. 아이들이 이국종 교수처럼 바른 어른으로 자랄 수 있도록 우리 어른들이 해야 할 역할이 큽니다.

오늘의 명언
죽는 날, 관속에 가지고 갈 것은 그 동안 치료한 환자의 명부다. - 이국종 교수 -
<따뜻한 하루>

▶ 이국종 교수 사명감
세상, 현실 기준 때문에 모든 사람들이 거절 한 환자를 오로지 환자를 살리겠다는 마음 하나로 세상, 현실 기준 을 무시하고 자신 의사의 사명을 다한 이국종 교수의 사명감은 진정한 자신 직업의 사명감 일 것이다.

어부와 사업가의 대화
담뱃대를 문 채 고깃배 옆에 느긋하게 누워 있는 어부 를 보고 어느 사업가가 어이없다는 듯 물었다.

"왜 고기를 안 잡는 거요?"
"오늘 잡을 만큼 다 잡았소."

"왜 더 잡지 않소?"

"더 잡아서 뭘 하게요?"

"돈을 더 벌어야지요. 그렇게 되면 모터를 달아서 더 먼 바다로 나가 고기를 더 많이 잡을 수 있잖소. 그렇게 되면 나일론 그물을 사서 고기를 더 많이 잡고, 돈도 더 많이 벌게 되지요. 당신은 곧 배를 두 척이나 거느릴 수 있게 될 거요. 아니, 선단을 거느릴 수도 있겠지. 그러면 당신은 나처럼 부자가 되는 거요."

"그런 다음에는 뭘 하죠?"

"그런 다음에는 느긋하게 인생을 즐기는 거지요."

"지금 제가 뭘 하고 있다고 생각하시오?"

《조금 내려놓으면 좀 더 행복해진다》

▶ 어부 사명감

세상, 현실, 사람들의 기준의 행복이 아닌 자신 기준의 행복을 위해 살아가는 태도가 나다운 사명감이다.

이런 느낌

1. 따뜻한 햇볕 때문에 일요일에 늦잠 자다 깼는데 창문으로 바람이 살랑살랑 불어오는 느낌

2. 친구들이랑 휴가 가기 전에 같이 장 볼 때의 느낌

3. 해외여행 가는 비행기 안에서 출발 전 창밖을 보는 느낌

4. 조용한 버스나 지하철에서 좋아하는 음악 듣는 느낌

5. 목요일에 아침 수업만 있고 금요일까지 공강 토, 일까지 쭉~ 시간이 많은 느낌

6. 밤에 자전거 타고 가는데 시원한 가을바람이 불어오는 느낌

7. 전날 밤샘 공부하고 마지막 시험 본 다음에 집에 와서 폰 꺼놓고 좋아하는 영화 연속으로 볼 때의 느낌

8. 겨울에 베란다에서 찬 귤 가지고 와서 따뜻한 이불 속에서 까먹는 느낌

9. 늦여름에 긴팔 입고 학교 갔다 집에 오는 길에 시원한 바람이 불어 하늘을 올려다보는 느낌

10. 정말 힘들었고 하루가 끝나고 집에 와서 샤워하고 보송보송한 이불 덮고 누웠을 때 갑자기 졸리는 느낌

<플래닛드림>

이런 느낌은 어떤가요?

1. 주말 톨게이트에서 통행료 받는 분에게 사탕 하나 챙겨주는 느낌

2. 내가 자주 가는 장소에서 쓰레기 줍는 느낌

3. 좋은 글, 좋은 정보 지인들에게 보내주는 느낌

4. 만나는 사람들에게 작은 선물 챙겨주는 느낌

5. 감사하다는 말을 했을 때 '감사에 감사하다.'라는 말

을 했을 때 느낌

6. 내 회사는 아니지만 누군가 말하기 전에 정수기 물통 교환해 주는 느낌

7. 쓰레기통 뚜껑 커피 자국 물티슈로 지우는 느낌

8. 고마움 보답하고 싶다고 하는 분에게 진짜 그 고마움 보답하고 싶다면 자신보다 관심, 배려, 사랑이 필요한 사람에게 베푸는 것이 저에게 보답하는 길이라고 말해주는 느낌

9. 만나는 사람들에게 행복을 주려고 노력하는 느낌

10. 오늘이 마지막 날인 것처럼 만나는 사람에게 최선을 다하는 느낌

11. 전신기증 한 것이 사후에 160명 사람들에게 갈 거 생각하며 내 몸 더 관리하며 아끼는 느낌

12. 심리 상담할 때 같이 아파하며 울어주는 느낌

13. 마트에서 물건 사고 계산 할 때 점원이 편하게 바코드를 찍을 수 있도록 구매한 모든 제품 바코드를 보이게 올려놓으니 점원이 하는 말 "마트 10년 동안 고객님 같은 분은 처음이네요. 바코드가 보이게 해줘서 너무 편했습니다. 너무 감사합니다."라는 말에 "별말씀을요." 말해주며 서로 행복해하는 느낌

14. 오손오손(운전석 오른손으로 열기), 왼손왼손(조수석 왼손으로 문 열기) 스티커로 지인의 자녀 자동차 사고 예방한 느낌

15. 상대방 차에 탈 때 신발 털고 타는 느낌
16. 등산할 때 정상까지 쓰레기 주우면서 가는 행동을 보고 지인이 쓰레기 줍는 행동을 꾸준히 따라 하는 느낌
17. 편의점 범죄 하루 42건이고 한 해 15,000건이다. 편의점에서 일하시는 분들 고충을 덜어 주기 위해 박카스 사서 주는 느낌

<최보규 방탄리더십 창시자>

▶ 생활 속 사명감 재료
생활 속에 사소한 것들이 모여 모여서 사명감 재료가 된다. 사명감을 다시 정의하면 이렇다. 생활 속에서 사소한 행동으로 인해 "나도 누군가에게 필요한 사람이구나. 나도 누군가에게 도움이 되는 사람이구나."라는 마음이 드는 것이다.

오타니가 야구의 신이라 불리는 진짜 이유!
오타니가 실력만큼 훌륭한 인성을 가질 수 있었던 이유!

오타니의 어머니는 아르바이트를 하고 있습니다. 응? 아들이 오타니인데? 오타니의 아버지 또한 계속 생업에 종사 중이죠. 응? 오타니가 아들인데?

오타니는 현재 연봉 외에도 여러 cf와 기업 스폰서 등을 통해 연간 800억 정도의 돈을 벌고 있으며, 내년 fa가 되면 메이저리그 역대 최고액을 넘어 천문학적 규모의 엄청난 연봉을 받게 될 예정인데요.

그럼에도 불구하고 그의 부모님은 아들에게 경제적 도움을 전혀 받지 않고 있죠.

오타니는 부모님에게 "언제까지 일을 하실 거냐?"라고 물어본 적이 있었는데, 어머니는 "너한테 업어달라고 할 수는 없잖아!"라고 하며 웃어넘기셨고, 아버지는 아들이 성공했다고 해서 "아들에게 밥 먹여달라고 할 수는 없지 않냐!"고 하셨다고 합니다.

그래도 오타니는 부모님을 위해 집을 지어주겠다고 했지만, 어머니, 아버지는 자신들이 돈을 벌어 집을 리모델링하겠다고 하며 오랜 시간 동안 작은 시골 마을에 이 집에서 살았고, 아들은 아들대로, 자기들은 자기들대로 잘 살고 있으니 그걸로 충분하다고 하며 철저하게 아들의 인생과 자신들의 인생을 구분 지었죠.

또한 그의 형과 누나 역시 결혼 선물로 집을 해주겠다는 오타니의 제안을 거절했고, 형은 대출을 받아 신혼집을 마련했으며, 누나는 임대주택에서 사는 등 동생에게 조금도 의지하지 않고 자신들의 인생을 살아가고 있다고 합니다.

오타니 역시 마찬가지였는데요. 그는 프로에 입단한 후 자신의 통장을 어머니에게 맡기고 한 달에 100만 원씩 용돈을 받아 생활했으며, 이마저도 저축을 해 3년 동안 2천200만 원이나 모았죠. 일본에서 mvp를 받으며 최고의 스타가 되었을 때에도 그는 2군 선수들과 함께 구단 숙소에서 생활을 했습니다.

보통 이 정도 스타라면 좋은 집을 얻어 자유로운 생활을 즐길 법도 했지만, 그는 숙소에서 제공해 주는 식사와 침대만으로도 충분히 만족했죠.

메이저리그에 진출했을 때는 구단에서 제공해 주는 차를 쏘나타로 선택했고, 구단에서 더 좋은 차로 바꾸기를 권유했음에도 이 자동차도 충분히 좋다고 하며 거절했으며, 여담으로 당시 면허가 없던 그를 대신해 통역사가 운전을 해줬는데, "뒷좌석에 앉는 건 운전을 해주는 분에 대한 예의가 아니다."라고 하며, 그는 항상 조수석에 앉았다고 합니다.

이 외에도 "남이 버린 행운을 줍는 것"이라고 하며 쓰레기가 보이면 항상 먼저 줍고 팬 서비스는 늘 최선을 다하는 등 오타니는 인성 또한 완벽하기로 유명한데요.

사실 이 또한 어릴 적부터 부모님에게 배운 것이라고

하며, 부모님은 그에게 운동 전후에 인사하는 것과 늘 주변에 감사함을 가져야 한다는 것부터 가르쳤다고 합니다. 그렇게 자란 그는 휴지나 담배꽁초를 줍는 작은 일부터 시작해 조금씩 좋은 사람이 되기 위해 노력하다 보면 행운이 좀 더 따를 거라 생각했죠.

오타니 쇼헤이가 하나마키히가시고교 1학년때 세운 목표 달성표

몸 관리	영양제 먹기	FSQ 90kg	인스텝 개선	몸통강화	축을 흔들리지 않기	각도를 만든다	공을 위에서 던진다	손목강화
유연성	몸 만들기	RSQ 130kg	릴리즈 포인트 안정	제구	불안정함을 없애기	힘 모으기	구위	하체 주도로
스테미너	가동역	식사 저녁 7수저(기득) 아침 3수저	하체강화	몸을 열지않기	멘탈 컨트롤 하기	볼을 앞에서 릴리즈	회전수 업	가동역
뚜렷한 목표,목적을 가진다	일희일비 하지않기	머리는 차갑게 심장은 뜨겁게	몸 만들기	제구	구위	축을 돌리기	하체강화	체중증가
핀치에 강하게	멘탈	분위기에 휩쓸리지 않기	멘탈	8구단 드래프트 1순위	스피드 160km/h	몸통강화	스피드 160km/h	어깨주위 강화
마음의 파도를 만들지않기	승리에 대한 집념	동료를 배려하는 마음	인간성	운	변화구	가동역	라이너 캐치볼	피칭을 늘리기
감성	사랑받는 사람	계획성	인사하기	쓰레기 줍기	부실 청소	카운트볼 늘리기	포크볼 완성	슬라이더의 구위
배려	인간성	감사	불건을 소중히 쓰자	문	심판분을 대하는 태도	늦게 낙차가 있는 커브	변화구	좌타자 결정구
예의	신뢰받는 사랑	지속력	플러스 사고	응원받는 사람이 되자	책읽기	직구와 같은 폼으로 던지기	스트라이크에서 볼을 던지는 제구	거리를 이미지한다

(주) FSQ. RSQ는 근육 트레이닝용 머신 (출처) 스포츠닛폰

사실 이는 그가 고등학교 1학년 때 세운 만다라트 계획 표를 보면 더 자세히 알 수 있는데요. 이 표는 중앙의 큰 정사각형 한가운데 최종 꿈이 있고, 이를 이루기 위한 8가지 목표가 그 주위를 둘러싸고 있으며, 다시 그 주의를 각 목표들을 이루기 위한 구체적인 방법들이 둘

러싸고 있죠. 특히 인간성과 운을 이루기 위한 방법들이 상당히 인상적이며, 지금까지 실천되고 있는 이 모든 것들이 오타니가 고등학생 때부터 시작했다는 점을 보면 굉장히 놀라운 일이 아닐 수 없습니다.

사실 오타니는 이 계획표를 본격적으로 실천하기도 전인 고등학교 1학년 봄부터 주목을 받기 시작했는데요. 그는 1학년으로 입학하자마자 팀의 4번 타자를 맡았고, 가을부터는 투수로서 구속 147km를 찍더니, 2학년이 되어서는 151km, 그리고 3학년 때는 아마 야구 사상 최초로 160km를 던져버린 것이었죠. 다만 고교 시절에는 제구력 불안으로 투수로서의 성적은 크게 좋지 않았으며, 타자로서의 재능이 투수로서의 재능보다 훨씬 뛰어났습니다.

오타니는 고교 야구 최고의 타자라 불러도 손색이 없었지만, 투수로서는 그보다 잘 던진 고시엔 에이스급 투수들이 적어도 50명은 넘게 있었죠. 그럼에도 그가 주목을 받았던 이유는 단순히 160km를 던진 구속 때문이 아니라, 타자로든, 투스로든 엄청난 체격과 신체 밸런스, 야구 센스 등을 바탕으로 한 성장의 한계를 예상할 수 없는 그 엄청난 잠재력 때문이었습니다.
쉽게 비유하자면, 슬램덩크의 채치수가 송태섭만큼 빠르

며, 정대만만큼 3점 슛 능력이 있다고 볼 수 있는 셈이었죠.

오타니 같은 선수는 지난 100년 동안 볼 수 없었고 앞으로 100년간 볼 수 없을지도 모른다. - 리치 힐 -

오타니는 고교 졸업 후 메이저리그로 가려 했지만, 닛폰햄 구단의 설득으로 일본에서 프로생활을 시작하며 많은 기대를 모았습니다.

하지만 데뷔 첫해, 투수로서 61이닝을 던지며 3승에 방어율 4.32를, 타자로서는 타율 2할 3푼 8리에 홈런 3개만을 기록하며 실망스러운 시즌을 보내고 말았는데요. 이에 기다렸다는 듯이 수많은 사람들이 투타 겸업이라는 만화 같은 상상은 그만두고, 투수든 타자든 하나에 집중하라고 입을 모았죠. 하지만 오타니는 전혀 흔들리지 않았습니다. 앞에서 언급되었던 만다라트 계획표 중 멘탈 부분을 다시 살펴보면, 분위기에 휩쓸리지 않기, 마음의 파도를 안 만들기 등 이미 그는 자신만의 길을 굳건하게 걸어가고 있었고, 2년 차 시즌부터는 투수, 타자 모두 리그 정상급 선수로 급성장하기 시작했죠.

그는 투수로서 155이닝을 던지며 11승에 방어율 2.62를, 타자로서는 234타석에서 10개의 홈런과 2할 7푼 4

리의 타율을 기록했고, 3년 차 때는 타자로서는 꽤 부진했지만 투수로서 15승에 방어율 2.24를 기록하며 다승 방어율, 승률 1위에 오르는 등 완전한 에이스급 투수로 거듭났으며, 그다음 해에는 10승의 방어율 1.86을 기록함과 동시에 타율 3할 2푼 1위에, 홈런도 22개를 치며, 팀을 우승으로 이끌고 mvp까지 차지하는 등, 그야말로 만화 주인공이 현실에 나온 듯한 대활약을 펼쳤으며, 그 다음 시즌인 2017년에는 부상으로 인해 많은 경기를 뛰지는 못했지만, 투수로서는 25이닝을 소화하며 3승을, 타자로서도 65경기에 출전해 3할 3푼 2위의 타율과 홈런 8개를 기록했습니다.

"오타니는 특별한 선수이다. 메이저리그 역사에서 비교할 선수가 없다." - 클레이트 커쇼 -

이후 오타니는 메이저리그 진출을 선언했습니다. 하지만 갑작스레 MLB 노사협정이 발표되면서, 국제 선수 나이 영입 제한 기준이 만 23세에서 만 25세로 상향되어 버렸고, 그로 인해 만 25세 이하인 해외 선수가 메이저리그로 진출하게 되면 몇 년 동안 최저 연봉을 받을 수밖에 없게 되었습니다.

사실, 이 발표가 있기 전까지만 해도 오타니의 몸값은

총액 3억 달러는 넘길 것이라는 예상이 나왔기에, 현실적으로 메이저리그 진출 시기를 조금 늦춰 좋은 조건으로 가는 것이 좋아 보였죠. 하지만 그는 바로 메이저리그에 진출했고, 이후 3년 동안 최저연봉인 54만 달러, 65만 달러, 70만 달러를 받았죠.

오타니 인터뷰 "2년 뒤에 가면 평생 걱정 없는 금액의 돈을 받겠지만, 제 마음속에 미국으로 가고 싶은 마음이 컸어요. 큰돈을 받는다고 해도 나에게 어울리지 않는다고 생각했고 마이너리그 계약이어도 플레이할 수 있다는 데는 변함이 없으니까요. 열심히 하면 몇 년 후에는 연봉이 오를 테니까요."

그렇게 메이저리그에 진출한 그는 첫해부터 믿기지 않는 활약을 펼쳤습니다. 투수로서는 10경기에 등판해 4승의 방어율 3.31을, 타자로서는 104경기에 출전해 2할 8푼 5리의 타율에 홈런 22개를 기록하며 신인왕을 차지한 것이었죠. 이후 2019와 2020시즌에는 토미존 수술 여파로 투수로서 등판이 없었던 그는 타자로서는 꾸준한 활약을 펼치며 투타 겸업을 잠시 중단해야만 했습니다.

그리고 2021년, 그는 투수로서 9승 2패에 방어율 3.18을 기록하면서, 타자로서는 무려 46개의 홈런을 쳐내며

mvp를 차지했고, 다음 해에는 투수로서 15승의 방어율 2.33을 기록하며, 에이스급 투수로 올라선과 동시에, 2할 7푼 3리의 타율에 34개의 홈런으로 여전한 활약을 이어나갔으며 그리고 2023년 시즌의 절반 정도를 마친 시점인 현재를 기준으로 투수로서 7승의 방어율 3.02를, 타자로서는 타율 3할 1푼에 홈런을 무려 31개나 쳐내며 만화 주인공을 능가하는 그야말로 압도적인 활약을 보여주고 있습니다.

노력하고 연습해서 실력 좋은 선수가 되는 것은 가능해도 오타니처럼 훌륭한 사람이 되는 것은 쉽지 않다.
- 박찬호 -

사실 만화에서도 이런 캐릭터가 나오면 작가가 욕을 먹는다는 얘기가 나올 정도로 오타니는 야구 역사를 새로 써내려가고 있는 중이며, 명예의 전당에 헌액되는 것 또한 사실상 확정이라고 봐도 될 정도로 대단한 선수임에 틀림없어 보이는데요. 하지만 그가 더 대단하다고 할 수 있는 이유는 그의 가장 큰 목표는 따로 있기 때문이라 할 수 있었습니다.

바로 "많은 사람들에게 사랑받는 야구 선수가 되는 것" 이게 바로 오타니의 가장 큰 목표였죠.

그는 길을 걷다가도 팬들을 발견하면 들고 있던 짐을
모두 내려놓고 시간이 얼마가 걸리든지 상관없이 현장
에 있는 모든 팬들에게 사인을 해주고 나서야 비로소
자리를 뜨는 등 늘 팬을 진심으로 대했습니다. 또한 야
구라는 스포츠 그 자체를 사랑하는 모습과 동시에 역대
급 재능을 실력으로 바꿔낸 노력으로 많은 이들에게 감
동을 주었죠.

<유튜버 누고>

▶ 오타니 사명감
부모의 솔선수범을 보고 자라면서 유명 인사의 사명감
을 벤치마킹이 아닌 오타니 다운, 자기다운, 나다운 사
명감을 만들기 위해 남들이 하지 않는 사소한 것으로부
터 사명감을 만들어 가고 있다. 나다운 사명감은 슬럼프
가 와도 악성 댓글, 안티가 생겨도 흔들리지 않는다.

최보규 방탄동기부여 전문가의 Body(몸) 사명감, Head
(머리) 사명감, Mind(마음) 사명감 학습, 연습, 훈련하는
방법 320가지!
1. 전신 장기기증
2. 유서 써놓기
3. 꿈 목표 설정
4. 영양제 챙기기

5. 꿀 챙기기

6. 계단 이용

7. 8시간 숙면

8. 취침 4시간 전 안 먹기

9. 기상 후, 자기 전 스트레칭 10분

10. 술, 담배 안 하기

11. 하루 운동 30분

12. 밀가루 기름진 음식 줄이기

13. 자극적인 음식 줄이기

14. 얼굴 눈 스트레칭

15. 박장대소 하루 2회

16. 기상 직후 양치질 물먹기

17. 물 7잔 마시기

18. 밥 먹는 중 물 조금만

19. 국물 줄이기

20. 밥 먹고 30후 커피 마시기

21. 기상 직후 책 들기

22. 한 달 책 15권 보기

23. 책 메모하기

24. 메모 ppt 만들기

25. SNS 캡처 자료수집

26. 강의 자료 항상 찾기

27. 좋은 글 점심때 보내기

28. 사랑의 전화 봉사

29. 주말 유치원 봉사

30. 지인 상담봉사

31. 강의 재능기부

32. 사랑의 전화 후원

33. 강의자료 주기

34. TV 줄이기

35. 부정적인 뉴스 줄이기

36. 솔선수범하기

37. 지인들 선물 챙기기

38. 한 달 한번 등산

39. 몸에 무리 가는 행동 안 하기

40. 하루 감사 기도 마무리

41. 탄산음료, 과일주스 줄이기

42. 아침 유산균 챙기기

43. 고자세

44. 스마트폰 소독 2번

45. 게임 안 하기

46. SNS 도움 되는 것 공유

47. 전단지 받기

48. 긍정, 멘탈 사용설명서 도구 스티커 나눠주기

49. 학습자 선물 주기

50. 강의 피드백 해주기

51. 자일리톨 원석 먹기 하루 3개

52. 찬물 줄이고 물 미온수 먹기

53. 소금물 가글

54. 알람 듣고 바로 일어나기

55. 오전 10시 이후 커피 먹기

56. 믹스커피 안 먹기

57. 강의 족보 주기

58. 강의 동영상 주기

59. 강의 녹음파일 주기

60. 블로그 좋은 글 나누기

61. 인스턴트 음식 줄이기

62. 아이스크림 줄이기

63. 빨리 걷기

64. 배워서 남 주자 실천(PPT)

65. 읽어서 남 주자 실천(책 속의 글)

66. 오른손으로 차 문 열기

67. 오손도손 오손 왼손 캠페인 전파하기

68. 운전 중 스마트폰 안 보기

69. 취침 전 30분 독서

70. 취침 전 30분 스마트폰 안 보기

71. 오늘이 마지막인 것처럼 섬기고 영원히 살 것처럼
    배우기

72. 자존심 신발장에 넣어 두고 나오기

73. 내가 받은 상처는 모래에 새기고 내가 받은 은혜는 대리석에 새기기
74. 어제의 나와 비교하기
75. 어제 보다 0.1% 성장하기
76. 세상에서 가장 중요한 스펙? 건강, 태도 실천하기
77. 나방이 되지 않기
78. 마라톤 10주 프로그램 시작
79. 마라톤 5km 도전
80. 마라톤 10km 도전
81. 마라톤 하프 도전
82. 마라톤 풀코스 도전
83. 자기 전 5분 명상
84. 뱃살 스트레칭 3분
85. 아침 동기부여 사진 보내기 8시
86. 저녁 동기부여 사진 보내기 9시
87. 나의 1%는 누군가에게는 100%가 될 수 있다. 실천
88. 150세까지 지금 몸매, 몸 상태 유지 관리
89. 아침 달걀 먹기
90. 운동 후 달걀 먹기
91. 헬스장 등록
92. 오래 살기 위해서가 아니라 옳게 살기 위해 노력하는 사람이 되자
93. 남들이 하는 거 안 하기 남들이 안 하는 거 하기

94. 아침 결명자차 마시기

95. 저녁 결명자차 마시기

96. 폼롤러 스트레칭

97. 어제보다 나은 내가 되자

98. 남들이 안 하는 강의 분야 도전

99. 플랭크 운동

100. 스쿼터 운동

101. 계산할 때 양손으로 주고받고 인사

102. 명함 거울 선물 주기

103. 40살 되기 전 책 출간

104. 반 100년 되기 전 책 5권 집필하기

105. 유튜브[나다운TV] 강사심폐소생술

106. 유튜브[나다운TV] 나다운심폐소생술

107. 아.원.때.시.후.성.실 말 줄이기

108. 나다운 강사 책 유튜브 올려 함께 잘 되기

109. 리플렛으로 동기부여 시켜주기

110. 아침 8시 동기부여 메시지 만들어 보내기

111. 저녁 9시 동기부여 메시지 만들어 보내기

112. 어플 책 속의 한 줄에 책 내용 올리기

113. 책 내용 SNS 오픈

114. 3번째 책 원고 작업 시작

115. 4번째 책 자료수집

116. 뱃살관리 스트레칭 아침, 저녁 5분

117. 3번째 책 기획출판계약

118. 최보규강사사관학교 시작

119. 최보규강사사관학교 지회 원장 임명

120. 올 노(올바른 노력)공식 오픈

121. 행복, 방탄멘탈 공식 자자자자멘습금 오픈

122. 생화 네 잎 클로버 선물 주기

123. 세바시를 통해 극단적인선택 예방 전파!

124. 세바시를 통해 자자자자멘습금 사용설명서 전파!

125. 4번째 책 원고 시작 2021년 1월 출간 목표!

126. 전염성이 강한 상황 왔을 때 대처하기 위한 준비!

127. 코로나19 극복을 위한 공적 마스크 독고 어르신들
     주기!

128. 아내를 위해 앉아서 소변보기

129. 들어라 하지 말고 듣게 하자

130. 좋은 사람이 되지 말고 좋은 사람 되어주자.

131. 좋아하게 하지 말고 좋아지게 하자

132. 보여주는(인기)인생을 사는 것보다 보여지는(인
     정)인생을 살아가자.

133. 나 이런 사람이야 말하지 않아도 이런 사람이구나
     느끼게 하자.

134. 마음을 얻으려 하지 말고 마음을 열게 하자.

135. 믿으라 하지 말고 믿게 하자

136. 나에 행복 0순위는 아내의 행복이다! 일어나서 자

기 전까지 모든 것 아내에게 집중!

137. 아내 말을 잘 듣자! 하는 일이 잘 된다!

138. 아버지가 어머니에게 이렇게 대했으면 하는 남편이 되겠습니다. 매형들이 누나들에게 이렇게 대했으면 하는 남편이 되겠습니다.

139. 내 몸은 아내거다. 빌려 쓰는 거다! 담배, 술, 몸에 무리가 가는 모든 것 자제 하고 건강관리, 자기관리 하겠습니다.

140. 아내의 은혜를 보답하기 위해 머리, 가슴, 몸, 돈으로 실천하겠습니다!

141. 아내에게 받은 사랑(내조) 보답하기 위해 머리, 가슴, 몸, 돈으로 실천하겠습니다.

142. 아내를 몸, 마음, 돈으로 평생 웃게 해서 호강시켜 주겠습니다.

143. 아내를 존경하겠습니다. 세상에 아내 같은 여자 없습니다.

144. 아내 빼고는 모든 여자는 공룡이다! 정신으로 살겠습니다.

145. 많은 사람들에게 인정받는 남편이 아닌 아내에게 인정받는 남편이 되기 위해 먼저 맞춰가는 남편이 되겠습니다.

146. 아내에게 무조건 지겠습니다.
이기려 하지 않겠습니다. 아내 앞에서는 나직성자

체를 내려놓겠습니다. (나이, 직급, 성별, 자존심, 체면)

147. 지저분한 것(음식물 쓰레기, 화장실 청소)다 하겠습니다.

148. 함께하는 한 가지를 위해 개인 생활 10가지를 감수하겠습니다.

149. 최강자 학습지 시작 (최보규의 강사학습지, 자기계발학습지)

150. 홈코 시작(집에서 화상 1:1 케어)

151. 불자의 인생 시작

152. 나는 복덩어리다. 나는 운이 좋은 사람이다.

153. 베스트셀러 3권 달성 노하우 책쓰기 교육 시작

154. 유튜브, 유튜버 100년 하는 노하우 교육 시작

155. 방탄멘탈마스터 양성 시작

156. 나다운 방탄멘탈 책으로 극단적인 선택 줄이기

157. 아침 8시, 저녁 9시 방탄멘탈공식 SNS 공유

158. 5번째 책 2022년 나다운 방탄사랑

159. 2023 나다운 방탄멘탈 2

160. 2024 나다운 책 쓰기(100년 가는 책)

161. 2025 유튜버가 아니라 나튜버 (100년 가는 나튜버)

162. 2026 나다운 강사3(Q&A)

163. 2027 나다운 명언

164. 2029 나다운 인생(50살 자서전)
165. 줌 화상 기법 강의, 코칭(최보규줌사관학교)
166. 언택트(비대면)시대에 맞게 아날로그 방식 80%를
     디지털 방식 80%로 체인지
167. 변기 뚜껑 닫고 물 내리기
168. 빨래개기
169. 요리하기, 요리책 내기 위한 자료 수집
170. 화장실 물기 제거
171. 부엌 청소, 집 청소, 화장실 청소
172. 사랑해 100번 표현하기
173. 아내에게 하루 마무리 안마 5분 해주기
174. 헌혈 2달에 1번
175. 헌혈증 기부
176. 네 번째 책 행복 히어로 책 출간
177. 극단적인 선택률, 이혼율 낮추기 위한 교육 시작
178. 행복률 높이기 위한 교육 시작
179. 다섯 번째 책 원고 작업 시작
180. 여섯 번째 책 자료 수집
181. 운전 중 양보 해 줄 때, 받을 때 목례로 인사하기.
182. 다섯 번째 책 나다운 방탄습관블록 출간
183. 습관사관학교 시스템 완성
184. 습관 코칭, 교육 시작
185. 아침 8시, 저녁 9시 습관 메시지 sns 공유

186. 습관 전문가 되어 무료 케어 상담 시작

187. 습관 콘텐츠 유튜브<행복히어로>에 무료 오픈

188. 여섯 번째 책 원고 작업 시작

189. 최보규상(대한민국 노벨상) 버킷리스트 설정

190. 2037년까지 운영진, 자금(상금), 시스템 완성 목표 설정

191. 최보규상을 1,000년 동안 유지하기 위한 공부

192. 일곱 번째 자존감 책 원고 작업

193. 여덟 번째 책 쓰기 책 자료 수집, 공부

194. 앉아서 일할 때 50분의 한번 건강 타이머 누르기

195. 세계 최초 자기계발쇼핑몰
    (www.자기계발아마존.com)

196. 온라인 건물주 분양 시작
    (월세, 연금성 소득 올릴 수 있는 시스템)

197. 일곱, 여덟 번째 책 축간
    (나다운 방탄자존감 명언 Ⅰ,Ⅱ)

198. 자기계발코칭전문가 1급, 2급 자격증 교육 시작

199. 방탄자기계발사관학교 Ⅰ,Ⅱ,Ⅲ,Ⅳ 4권 출간

200. 2021년 목표였던 9권 책 출간 달성!

201. 하루 3번 호흡 스펙 습관 쌓기 시작
    (코 8초 마시고, 5초 멈추고, 입으로 8초 내뱉기)

202. 장모님께 출간 한 책 12권 드리기

203. 2022년 최보규의 책 쓰기9 원고 작업 시작

204. 100만 프리랜서들 도움주기 위한 프로젝트 시작

205. 방탄 자존감 코칭 기술

206. 방탄 자신감 코칭 기술

207. 방탄 자기관리 코칭 기술

208. 방탄 자기계발 코칭 기술

209. 방탄 멘탈 코칭 기술

210. 방탄 습관 코칭 기술

211. 방탄 긍정 코칭 기술

212. 방탄 행복 코칭 기술

213. 방탄 동기부여 코칭 기술

214. 방탄 정신교육 코칭 기술

215. 꿈 코칭 기술

216. 목표 코칭 기술

217. 방탄 강사 코칭 기술

218. 방탄 강의 코칭 기술

219. 파워포인트 코칭 기술

220. 강사 트레이닝 코칭 기술

221. 강사 스킬UP 코칭 기술

222. 강사 인성, 멘탈 코칭 기술

223. 강사 습관 코칭 기술

224. 강사 자기계발 코칭 기술

225. 강사 자기관리 코칭 기술

226. 강사 양성 코칭 기술

227. 강사 양성 과정 코칭 기술

228. 퍼스널브랜딩 코칭 기술

229. 방탄 리더십 코칭 기술

230. 방탄 인간관계 코칭 기술

231. 방탄 인성 코칭 기술

232. 방탄 사랑 코칭 기술

233. 스트레스 해소 코칭 기술

234. 힐링, 웃음, FUN 코칭 기술

235. 마인드컨트롤 코칭 기술

236. 사명감 코칭 기술

237. 신념, 열정 코칭 기술

238. 팀워크 코칭 기술

239. 협동, 협업 코칭 기술

240. 버킷리스트 코칭 기술

241. 종이책 쓰기 코칭 기술

242. PDF 책 쓰기 코칭 기술

243. PPT로 책 출간 코칭 기술

244. 자격증 교육 커리큘럼으로 책 출간 코칭 기술

245. 자격증 교육 커리큘럼으로 영상 제작 코칭 기술

246. 책으로 디지털콘텐츠 제작 코칭 기술

247. 책으로 온라인 콘텐츠 제작 코칭 기술

248. 책으로 네이버 인물 등록 코칭 기술

249. 책으로 강의 교안 제작 코칭 기술

250. 책으로 민간 자격증 만드는 코칭 기술

251. 책으로 자격증 과정 8시간 제작 코칭 기술

252. 책으로 유튜브 콘텐츠 제작 코칭 기술

253. 유튜브 시작 코칭 기술

254. 유튜브 자존감 코칭 기술

255. 유튜브 멘탈 코칭 기술

256. 유튜브 습관 코칭 기술

257. 유튜브 목표, 방향 코칭 기술

258. 유튜브 동기부여 코칭 기술

259. 유튜브가 아닌 나튜브 코칭 기술

260. 유튜브 영상 제작 코칭 기술

261. 유튜브 영상 편집 코칭 기술

262. 유튜브 울렁증 극복 코칭 기술

263. 유튜브 썸네일 디자인 제작 코칭 기술

264. 유튜브 콘텐츠 제작 코칭 기술

265. 유튜브 수입 연결 제작 코칭 기술

266. 유튜브 영상 홍보 코칭 기술

267. 홈페이지 무인시스템 연결 제작 코칭 기술

268. 홈페이지 자동 결제 시스템 제작 코칭 기술

269. 홈페이지 비메오 연결 제작 코칭 기술

270. 홈페이지 렌탈 시스템 제작 코칭 기술

271. 홈페이지 디자인 제작 코칭 기술

272. 홈페이지 제작 코칭 기술

273. 재능마켓 크몽 PDF 입점 코칭 기술

274. 재능마켓 크몽 강의 입점 코칭 기술

275. 재능마켓 크몽 이미지 디자인 제작 코칭 기술

276. 재능마켓 크몽 입점 영상 제작 코칭 기술

277. 재능마켓 크몽 입점 영상 편집 코칭 기술

278. 재능마켓 크몽 VOD 입점 코칭 기술

279. 클래스101 영상 입점 코칭 기술

280. 클래스101 PDF 입점 코칭 기술

281. 클래스101 이미지 디자인 제작 코칭 기술

282. 클래스101 영상 제작 코칭 기술

283. 클래스101 영상 편집 코칭 기술

284. 탈잉 영상 입점 코칭 기술

285. 탈잉 PDF 입점 코칭 기술

286. 탈잉 이미지 디자인 제작 코칭 기술

287. 탈잉 영상 제작 코칭 기술

288. 탈잉영상 편집 코칭 기술

289. 탈잉 VOD 입점 코칭 기술

290. 클래스U 영상 입점 코칭 기술

291. 클래스U 영상 제작 코칭 기술

292. 클래스U 영상 편집 코칭 기술

293. 클래스U 이미지 디자인 제작 코칭 기술

294. 클래스U 커리큘럼 제작 코칭 기술

295. 인클 입점 코칭 기술

296. 자신 분야 콘텐츠 제작 코칭 기술

297. 자신 분야 콘텐츠 컨설팅 코칭 기술

298. 자기계발코칭전문가 1시간 ~ 1년 코칭 기술

299. 강사코칭전문가, 리더십코칭전문가 1시간 ~ 1년 코칭 기술

300. 온라인 건물주 되는 코칭 기술

301. 강사 1:1 코칭기법 코칭 기술

302. 전문 분야 있는 사람 1:1 코칭 기법 코칭 기술

303. CEO, 대표, 리더, 협회장 품위유지의무 코칭 기술

304. 은퇴 준비 코칭 기술

305. 2023년 나다운 방탄리더십 1, 2, 3, 4, 5 출간

306. 나다운 방탄리더십 아침, 저녁 메시지 시작

307. 강사코칭전문가 자격증 시스템 시작

308. 방탄 리더십 원고 작업 시작

309. 방탄 리더 자존감 원고 작업 시작

310. 방탄 리더 멘탈 원고 작업 시작

311. 방탄 리더 습관 원고 작업 시작

312. 방탄 리더 행복 원고 작업 시작

313. 방탄 리더 자기계발 원고 작업 시작

314. 방탄 리더 코칭 원고 작업 시작

315. 마트에서 구입한 물건들 바코드 정렬해서 올리기

316. 장모님 머리 염색해 주기

317. 처남 금연, 금주 도와주기

318. 한 해 시작할 때 습관 영상 업로드

319. 결혼기념일 뱃지, 명찰 제작

320. 뒤꿈치 들기 운동 시작

작은 일도 무시하지 않고 최선을 다해야 한다.

작은 일에도 최선을 다하면 정성스럽게 된다.

정성스럽게 되면 겉에 배어 나오고

겉에 배어 나오면 겉으로 드러나고

겉으로 드러나면 이내 밝아지고

밝아지면 남을 감동시키고

남을 감동시키면 이내 변하게 되고 변하면 생육 된다.

그러니 오직 세상에서 지극히 정성을 다하는 사람만이

나와 세상을 변하게 할 수 있는 것이다.

<중용 23장>

사명감은 스펙이다!
학습, 연습, 훈련으로 만들어진다!

Body(몸)사명감
몸이 건강하지 않으면 건강한 사명감 나오지 않는다.

Head(머리)사명감
머리에 든 지식이 없으면 성숙한 사명감이 나오지 않는다.

Mind(마음)사명감
자존감, 멘탈이 약하면 강한 사명감이 나오지 않는다.

▶ 최보규 방탄동기부여 전문가 사명감

최보규 방탄동기부여 전문가다운, 나다운 사명감을 만드
는 Body(몸) 사명감, Head(머리) 사명감, Mind(마음)
사명감 학습, 연습, 훈련하는 방법 320가지는 생활 속에
사소한 모든 것들이 사명감 재료가 되는 것이다.

▶ 나다운 사명감
▶ 강사 사명감
▶ 구두 케어 사장님 사명감
▶ 꿈 사명감
▶ 반려견조련사 사명감
▶ TOMS 창립자 블레이크 사명감
▶ NASA 청소부 사명감
▶ 이국종 교수 사명감
▶ 어부 사명감
▶ 생활 속 사명감 재료
▶ 오타니 사명감
▶ 최보규 방탄동기부여 전문가 사명감

각 분야에서 사명감이 있는 사람들 스토리텔링, 필자의
사명감 만드는 방법 320가지를 보면서 어떤 생각, 어떤
마음이 드는가? 사명감이 어떤 것인지 감이 오는가? 아
니면 어려워 보이는가? 쉬워 보이는가? 당연히 어렵다.

그럼에도 불구하고 왜 사명감을 학습, 연습, 훈련해야 하는지 아는가? 사명감이 자가치유 능력이 있기 때문이다. 자가치유 능력?

사명감은 자신, 자신 분야가 고난, 역경, 불행으로 인생의 상처가 났을 때 자가치유 능력(자가치유: 스스로 케어하는 능력)을 향상시켜준다. 손에 작은 상처가 났을 때 약을 바르지 않고 방치를 하더라도 2~3일 지나면 상처가 아물어서 몸이 스스로 치유하듯이 사람 몸도 자가치유능력이 있다.

다음은 누구나 가지고 있는 능력인 몸의 자가치유 능력을 깨닫게 해주는 스토리텔링이다.

디스크 탈출증 감기처럼 저절로 낫는다?

디스크 탈출증으로 좌골신경통을 치료하지 않고 쭉 지켜봤더니, 이럴 수가!
신경뿌리 염증이 자연적으로 호전되는 현상을 사람에게서도 기대할 수 있을까? 2001년 핀란드 오울루(Oulu)대학병원의 재활의학과 의사야로 카피넨(Jaro Karppinen) 박사는 신경뿌리 주변에 스테로이드를 주입하는 경막외 스테로이드 주사 치료의 효과를 보여주는 임상시험 결과를 발표했다. 디스크 탈출증으로 생긴 좌골신경통이 있는 환자를 무작위로 두 그룹으로 나누어 한 그룹은 스테로이드를, 다른 한 그룹은 같은 양의 생리식염수, 즉 아무 효과가 없는 위약(僞藥, placebo)을 주사하고 좌골신경통의 변화를 관찰하였던 것이다.

결과는 스테로이드 주사 치료를 받지 않은 환자도 26주, 즉 6개월 정도 지나자 좌골신경통이 확연히 완화되었다는 것이다. 이 연구의 원래 취지는 '신경뿌리에 스테로이드를 주사하는 경막 외 스테로이드 주사는 좌골신경통의 초기 (6개월 이내)에 통증을 줄이는 효과가 있고 1년이 지나면 큰 차이가 없다.'라는 것을 보여 주는 것이었다.

그렇지만 결과를 자세히 들여다보면 또 다른 흥미로운 사실을 발견하게 된다. 바로 '디스크 탈출로 생긴 좌골신경통은 가만두어도 6개월이 지나면 저절로 낫는다.'라는 것이다. 신기하지 않은가? 엉덩이와 허벅지가 땅겨서 허리를 펴지도, 똑바로 걷지도 못할 정도로 아픈 좌골신경통에 특별한 치료를 하지 않아도 시간이 지나면 감기가 낫듯이 저절로 좋아진다는 것이다! 더욱 재미있는 것은 탈출된 디스크 덩어리가 쭈그러드는데 평균 1~2년 걸리는데 (1권 2장의 '고모리 박사, 탈출된 디스크는 어

디로 갔소?' 참조) 좌골신경통은 6개월 만에 회복된다는
것이다. 신경뿌리의 염증이 좌골신경통에 기여하는 바가
크다는 것을 실감하게 하는 대목이다.

기억해야 할 것은 좌골신경통이 저절로 좋아지는 속성
때문에 사이비 치료가 기승을 부린다는 것이다. 이에 관
한 문제를 하나 낸다. 다음 중 허리 디스크 있는 사람이
6개월간 지속하면 좌골신경통 증상이 좋아지는 것은?

① 매일 아침 동쪽 하늘을 보고 나는 좋아질 것이라고
   다섯 번 외친다.
② 싸이의 강남 스타일 말춤을 하루 5분씩 춘다.
③ 허리에 좋다는 신비의 약을 매일 먹는다.
④ 특수 지압을 매일 받는다.
⑤ 세끼 밥 먹고 일상생활을 한다.

정답은? 모두 맞다.
《백년허리 1》

필자가 디스크 탈출증을 겪고 약물, 주사 치료를 하면서
디스크 관리(척추위생, 신진운동)를 통해 디스크 탈출증
이 치료했던 MRI 사진을 세계 최초 공개 한다!

디스크 탈출증(추간판 탈출증) 6개월 완치!

[요추 5번, 천추 사이 디스크 탈출]

(척추위생 6달 / 약물 치료 2개월, 신경 주사 3회)

Before   **After**

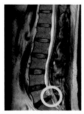 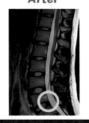

척추위생

허리에 좋은 자세를 유지하자는 것이다. 피부에 상처가 났을 때, 가만히 두면 저절로 상처가 아무는 것과 같다. 찢어지거나 염증이생긴 허리 디스크도 좋은 자세를 유지해 준다면 충분히 회복될 수 있지만 좋지 않은 자세, 운동 등을 통해 지속적으로 디스크에 스트레스를 가한다면 회복이 될 수 없다는 것이다.

"운동으로 좋아지는 허리는 없다."

"허리는 자세로 좋아진다."

"허리는 다른 사람보다 자기 스스로

손상시키는 경우가 훨씬 많다."

"허리가 아픈 것은 디스크가 다쳐서 아픈 것이다."

"요추전만을 24시간 유지하는 것이 척추위생"

"허리를 좋게 하는 운동은 걷기와 달리기이다."

〈백년허리〉 정석근

Before　　　After

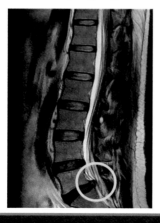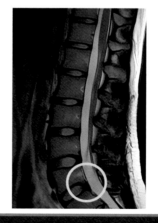

범죄신고는 112, 화재신고는 119
허리가 아프면 요추전만
몸의 기둥라인 요추전만
**리더 사명감의
CLASS6 요추전만**

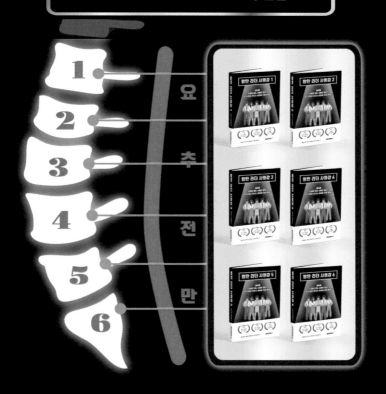

방탄 리더 사명감
요추전만

전 인구의 **80%**는 일생에 한 번 이상 요통을 경험한다. 전체 요통의 **93%**가 디스크 손상 때문이다. 디스크가 보내는 구조신호, 그것이 바로 요통이다!

〈백년허리〉

98%의 요통은 수술 없이 완치 될 수 있다! 단 3주만 따라하면 지긋지긋한 요통의 지옥에서 빠져나올 수 있다! 디스크의 수호천사는 신전자세(요추전만), 신전운동

〈백년허리〉

전인구 **80%**가 요통을 겪지만 리더 사명감은 어느 누구도 빠짐없이 **100%** 배워야 한다.

리더 사명감 수호천사
"방탄 리더 사명감!"

약물, 주사 치료를 하면서 디스크 관리(척추위생, 신전운동)를 했기에 디스크 탈출증 치료가 6개월 안에 끝났다는 것이다. 약물, 주사치료도 중요하지만 가장 중요한 것은 디스크 관리(척추위생, 신정운동)다.

연구 결과에 의한 내용인 "디스크 탈출증으로 좌골신경통이 발생했을 때 6개월간 디스크 치료를 하지 않고 관리(척추위생, 신전운동)를 잘 한다면 사람 몸의 자가치유능력(자가치유: 스스로 케어하는 능력)이 있어서 좋아진다."

자신, 자신 분야에서 고난, 역경, 불행으로 인생의 상처가 생겼을 때 사명감의 자가치유능력(자가치유: 스스로 케어하는 능력)으로 치유해 준다. 그래서 행복한 인생, 나다운 인생, 이루고 싶은 것, 자신 분야 삼성(진정성, 전문성, 신뢰성)을 만들어 주는 사명감을 학습, 연습, 훈련하는 것은 선택이 아닌 필수라고 강조하는 것이다.

사명감도 스펙이다. 학습, 연습, 훈련으로 만들어지는 것이다. 리더 자신, 자신 분야 사명감 7단계(리더 사명감 본질, 리더 자존감 사명감, 리더 멘탈 사명감, 리더 습관 사명감, 리더 행복 사명감, 리더 자기계발 사명감, 리더 코칭 사명감) 시작하자!

방탄리더사관학교
BULLETPROOF LEADER MILITARY ACADEMY

리더 기본기과

방탄 리더 기본기 1

<저자 최보규>

리더의 Body(몸) 기본기, Head(머리)
기본기, Mind(마음) 기본기. 기본기는
그림자와 같다. 평생 함께한다.

- 리더의 Body(몸) 기본기, Head(머리) 기본기, Mind (마음) 기본기. 기본기는 그림자와 같다. 평생 함께한다.

★ 20,000명 심리 상담, 코칭 하면서 알게 된 리더 기본기의 비밀! 기본기 고.틀.선.편 깨기 (고정관념, 틀, 선입견, 편견) 손흥민 선수의 Body(몸) 기본기, Head(머리) 기본기, Mind(마음) 기본기

기본기가 무엇인가? 가장 기초적인 기술, 동작이다. 처음 시작하는 모든 것들의 기본적인 행동이라는 것이다. 여기까지는 90% 사람들이 알고 있는 기본기의 정의다.

기본기의 고정관념 첫 번째는 기본기의 정의가 고정관념이다. 왜! 기본기의 정의가 고정관념일까? 그 이유는 90% 사람들이 기본기를 기초적인 기술, 동작이라고만 알고 있기에 기술, 동작을 마스터하면 더 이상 할 필요가 없다고 판단하고 기본 동작(충분한 기본기를 마스터하는 인고의 시간)을 무시한 채 그다음 단계로 넘어 가버린다. 누군가는 "난 처음부터 배우는 게 빠르니 기본기 필요 없어."라는 태도로 기본 동작을 넘어 뛰고 진행을 한다. 당연히 운동신경이 좋아서, 습득력이 좋아서 기본기를 넘어 뛰고 하는 사람도 있다. 하지만 기본 동

작(충분한 기본기를 마스터하는 인고의 시간)을 제대로 하느냐! 안 하느냐! 차이는 시작한 것을 지속하느냐! 못 하느냐! 차이로 나뉜다.

기본기의 고정관념 두 번째는 Body(몸) 기본기만 있는 것이 아니라 Body(몸) 기본기, Head(머리) 기본기, Mind(마음) 기본기가 있다.

90% 사람들은 Body(몸) 기본기인 기본적인 동작만을 생각한다. Head(머리) 기본기는 시대 상황에 맞게 계산 적으로 변화, 성장, 배움, 결과, 어제보다 나은 기본기를 해야 되고 Mind(마음) 기본기는 초심을 잃지 않기 위한 정신적인(자자자자멘습긍: 자존감, 자신감, 자기관리, 자 기계발, 멘탈, 습관, 긍정)기본기다.

기본기의 3요소는 Body(몸) 기본기, Head(머리) 기본 기, Mind(마음) 기본기라는 것이다.

다음은 월드클래스인 손흥민 선수의 Body(몸) 기본기, Head(머리) 기본기, Mind(마음) 기본기를 중요시했던 손흥민 선수의 아버지인 손웅정 감독의 특별한 코칭의 내용이다.

축구를 너무 좋아했지만 나는 죽을힘을 다해 뛸 뿐 기

술이 부족한 삼류 선수였다. 나처럼 축구하면 안 되겠다 싶어서 나와 정반대로 가르쳤다. 훈련에서 가장 중요한 것은 기술이 아니라 인성, 기본기, 약속. 약속이란? (중간에 포기하지 않을 만큼 좋아하는지 항상 자신에게 물어보라! 목표, 방향, 의미 부여, 신념) "모든 것은 기본에서 시작한다." "가장 중요한 건 인성"

<손웅정 감독>

여러분들은 손흥민zone을 아시나요?
손흥민존은 어떤 영역일까.
수비수 입장에서 굉장히 애매한 위치다. 골대와 가깝지 않으니 슛을 하라고 놔둬도 실점 가능성이 낮은 지역이다. 달려가서 막을 경우 상대 공격수가 자신을 제칠 경우 바로 실점 가능성이 굉장히 높아지는 지역이다. 적극적으로 다가가서 압박 수비를 하기에는 애매하다. 따라서 수비수와 공격수 사이에는 공간이 생긴다. 다른 지역보다는 공간이 꽤 생기니 공격수 입장에서는 자신의 리듬대로 슛을 하기 좋다. 하지만 골대까지 멀어 득점 가능성이 굉장히 낮다. 골키퍼 입장에서는 해당 구역은 약간 긴장감이 떨어지는 구역일 수 있다. 공격수가 슛을 하지만 골대 안까지 잘 안 들어오거나 와도 공이 약하다. 또 거리가 꽤 있으니 슛을 보고 반응해도 막을 수 있을 거 같은 구역이다.

아버지가 준 선물.

손흥민 아버지 손웅정 씨는 국가대표 축구선수 출신으로 이 구역의 의미를 가장 잘 아는 사람이다. 이 구역은 수비수 입장에서도 골키퍼 입장에서도 굉장히 애매한 영역이므로 거꾸로 생각하면 훈련을 통해서 성과를 극대화할 수 있는 영역이다. 그래서 손웅정 씨는 아들 손흥민을 위해서 좌우 500번씩 하루 1,000번씩 슛 연습을 함께 했다. 그 결과가 바로 손흥민 존이다. 그 덕분에 손흥민은 다른 선수들 도움 없이 온전히 혼자서 골을 만들어 낼 수 있는 자신만의 영역인 손흥민 존을 얻게 되었다. 그렇다면 왜 아버지는 손흥민 존을 만들어 주고 싶었을까?

온전히 혼자 힘으로 골을 만들어 낼 수 있다는 것.

축구는 팀 스포츠이다. 혼자 아무리 잘해도 패스를 안 해주면? 골을 넣을 수 없다. 축구의 신 메시조차 팀을 옮긴 뒤 골이 급격히 줄어들지 않았는가. 유럽 무대에 아시아 축구 선수가 신입으로 들어왔다고 생각해 보자. 기존 유럽축구 선수들은 신입 아시아 선수를 무시할 가능성이 크다. 아시아 축구 선수의 실력 자체를 의심할 것이고, 따라서 패스를 안 해준다. (실제 해외 진출 실패했던 선수들의 인터뷰를 살펴보면 패스를 못 받았다는 얘기를 자주 볼 수 있다). 당연히 유럽 선수들은 이렇게 말할 거다. 아 인종차별이 아니라, 그 친구 실력이 부족하니 패스를 안 한 거라고.

실력을 인정받아야만 패스를 받을 수 있다. 하지만 신뢰받지 못하는 축구 선수가 어떻게 패스를 받을 수 있을까. 패스를 못 받으니 -> 골을 못 넣고 -> 역시 저 친구는 실력이 없는 아시아 선수군 -> 다시 패스를 못 받게 된다. 그렇게 악순환 고리에 빠지고 -> 역시 못하네. 이렇게 될 가능성이 아주 크다. 거기다가 유럽 현지 언어도 못 하니 말도 잘 못 알아들으니 점차 소외되고 팀에 못 어울리니 시간이 지나도 신뢰를 쌓지 못하고 여전히 패스를 못 받는다. 그러다가 결국 퇴출된다. 손웅정 씨는 이런 상황을 내다보고 악순환 고리를 끊을 수 있는 비장의 무기를 만들어 준 것이 아닐까.

<티스토리 Tap to restart>

2022년 카타르 월드컵 포르투갈을 2대1로 이겨 16강 올라가는데 결정적인 어시스트를 했던 손흥민 선수의 인성. 월드컵 전 안와골절로 안면 마스크를 착용하고 월드컵 경기를 뛰게 되었다. 한 기자가 손흥민 선수에게 물었다. "마스크 불편하지 않나요?" 그 말에 손흥민 선수는 "전 국민 지난 3년간 참고 착용한 마스크에 비하면 아무것도 아닙니다."라는 말을 했다.

"인생에 후불은 없다. 어제 값을 치른 대가를 오늘 받고 내일 받을 대가를 위해서 오늘 먼저 값을 치른다. 내 인생에서 공짜로 얻은 것은 하나도 없다"라며 "드리블, 슈팅, 컨디션 유지, 부상 방지 등 모두 죽어라 노력해 얻은 결과다" "축구 실력보다 겸손이 먼저다."
<손흥민 선수>

"프리미어리그 우승에 도전할 수 있다면 나는 기꺼이 '축구 24시간'의 생활을 받아들이고 싶다. 챔피언스리그 결승전에서 뛸 수 있다면 나는 얼마든지 수도승으로 살아갈 수 있다."
<손흥민 선수>

손흥민 선수는 Body(몸) 기본기를 통해 아버지의 선물인 손흥민존을 만들었다. (좌우 500번씩 하루 1,000번 슛 연습)
손흥민 선수는 Head(머리) 기본기를 통해 '축구 24시간' 수도승의 태도를 위해 철저하게 축구를 위한 삶을 살고 있다.
손흥민 선수는 Mind(마음) 기본기를 통해 "축구 실력보다 겸손이 먼저다."라는 겸손의 기본기를 실천하고 있다.

월드클래스 손흥민 선수의 Body(몸) 기본기, Head(머리) 기본기, Mind(마음) 기본기 학습, 연습, 훈련했던 것을 보니 엄두가 안 나는가? 아니면 속으로 이런 생각을 하는가? "유명한 사람 기본기는 따라 하기가 너무 어렵습니다. 전 일반 사람입니다. 일반 사람 수준, 기준에 맞는 기본기 학습, 연습, 훈련 하는 방법은 없나요?"

그래서 준비했다. 지극히 일반 사람이 동기부여 분야에서 방탄 동기부여 신이 되기까지 기본기를 학습, 연습, 훈련했던 320가지 방법을 참고해서 시작하자!

▶ 동기부여 신! 최보규 방탄동기부여 전문가의 Body(몸) 기본기, Head(머리) 기본기, Mind(마음) 기본기 학습, 연습, 훈련 하는 방법 320가지!

1. 전신 장기기증
2. 유서 써놓기
3. 꿈 목표 설정
4. 영양제 챙기기
5. 꿀 챙기기
6. 계단 이용
7. 8시간 숙면
8. 취침 4시간 전 안 먹기
9. 기상 후, 자기 전 스트레칭 10분

10. 술, 담배 안 하기
11. 하루 운동 30분
12. 밀가루 기름진 음식 줄이기
13. 자극적인 음식 줄이기
14. 얼굴 눈 스트레칭
15. 박장대소 하루 2회
16. 기상 직후 양치질 물먹기
17. 물 7잔 마시기
18. 밥 먹는 중 물 조금만
19. 국물 줄이기
20. 밥 먹고 30후 커피 마시기
21. 기상 직후 책 듣기
22. 한 달 책 15권 보기
23. 책 메모하기
24. 메모 ppt 만들기
25. SNS 캡처 자료수집
26. 강의 자료 항상 찾기
27. 좋은 글 점심때 보내기
28. 사랑의 전화 봉사
29. 주말 유치원 봉사
30. 지인 상담봉사
31. 강의 재능기부
32. 사랑의 전화 후원

33. 강의자료 주기
34. TV 줄이기
35. 부정적인 뉴스 줄이기
36. 솔선수범하기
37. 지인들 선물 챙기기
38. 한 달 한번 등산
39. 몸에 무리 가는 행동 안 하기
40. 하루 감사 기도 마무리
41. 탄산음료, 과일주스 줄이기
42. 아침 유산균 챙기기
43. 고자세
44. 스마트폰 소독 2번
45. 게임 안 하기
46. SNS 도움 되는 것 공유
47. 전단지 받기
48. 긍정, 멘탈 사용설명서 도구 스티커 나눠주기
49. 학습자 선물 주기
50. 강의 피드백 해주기
51. 자일리톨 원석 먹기 하루 3개
52. 찬물 줄이고 물 미온수 먹기
53. 소금물 가글
54. 알람 듣고 바로 일어나기
55. 오전 10시 이후 커피 먹기

56. 믹스커피 안 먹기

57. 강의 족보 주기

58. 강의 동영상 주기

59. 강의 녹음파일 주기

60. 블로그 좋은 글 나누기

61. 인스턴트 음식 줄이기

62. 아이스크림 줄이기

63. 빨리 걷기

64. 배워서 남 주자 실천(PPT)

65. 읽어서 남 주자 실천(책 속의 글)

66. 오른손으로 차 문 열기

67. 오손도손 오손 왼손 캠페인 전파하기

68. 운전 중 스마트폰 안 보기

69. 취침 전 30분 독서

70. 취침 전 30분 스마트폰 안 보기

71. 오늘이 마지막인 것처럼 섬기고 영원히 살 것처럼 배우기

72. 자존심 신발장에 넣어 두고 나오기

73. 내가 받은 상처는 모래에 새기고 내가 받은 은혜는 대리석에 새기기

74. 어제의 나와 비교하기

75. 어제 보다 0.1% 성장하기

76. 세상에서 가장 중요한 스펙? 건강, 태도 실천하기

77. 나방이 되지 않기

78. 마라톤 10주 프로그램 시작

79. 마라톤 5km 도전

80. 마라톤 10km 도전

81. 마라톤 하프 도전

82. 마라톤 풀코스 도전

83. 자기 전 5분 명상

84. 뱃살 스트레칭 3분

85. 아침 동기부여 사진 보내기 8시

86. 저녁 동기부여 사진 보내기 9시

87. 나의 1%는 누군가에게는 100%가 될 수 있다. 실천

88. 150세까지 지금 몸매, 몸 상태 유지 관리

89. 아침 달걀 먹기

90. 운동 후 달걀 먹기

91. 헬스장 등록

92. 오래 살기 위해서가 아니라 옳게 살기 위해 노력하
    는 사람이 되자

93. 남들이 하는 거 안 하기 남들이 안 하는 거 하기

94. 아침 결명자차 마시기

95. 저녁 결명자차 마시기

96. 폼롤러 스트레칭

97. 어제보다 나은 내가 되자

98. 남들이 안 하는 강의 분야 도전

99. 플랭크 운동

100. 스쿼터 운동

101. 계산할 때 양손으로 주고받고 인사

102. 명함 거울 선물 주기

103. 40살 되기 전 책 출간

104. 반 100년 되기 전 책 5권 집필하기

105. 유튜브[나다운TV] 강사심폐소생술

106. 유튜브[나다운TV] 나다운심폐소생술

107. 아.원.때.시.후.성.실 말 줄이기

108. 나다운 강사 책 유튜브 올려 함께 잘 되기

109. 리플렛으로 동기부여 시켜주기

110. 아침 8시 동기부여 메시지 만들어 보내기

111. 저녁 9시 동기부여 메시지 만들어 보내기

112. 어플 책 속의 한 줄에 책 내용 올리기

113. 책 내용 SNS 오픈

114. 3번째 책 원고 작업 시작

115. 4번째 책 자료수집

116. 뱃살관리 스트레칭 아침, 저녁 5분

117. 3번째 책 기획출판계약

118. 최보규강사사관학교 시작

119. 최보규강사사관학교 지회 원장 임명

120. 올 노(올바른 노력)공식 오픈

121. 행복, 방탄멘탈 공식 자자자자멘습긍 오픈

122. 생화 네 잎 클로버 선물 주기

123. 세바시를 통해 극단적인선택 예방 전파!

124. 세바시를 통해 자자자자멘습긍 사용설명서 전파!

125. 4번째 책 원고 시작 2021년 1월 츌간 목표!

126. 전염성이 강한 상황 왔을 때 대처하기 위한 준비!

127. 코로나19 극복을 위한 공적 마스크 독고 어르신들 주기!

128. 아내를 위해 앉아서 소변보기

129. 들어라 하지 말고 듣게 하자

130. 좋은 사람이 되지 말고 좋은 사람 되어주자.

131. 좋아하게 하지 말고 좋아지게 하자

132. 보여주는(인기)인생을 사는 것보다 보여지는(인정)인생을 살아가자.

133. 나 이런 사람이야 말하지 않아도 이런 사람이구나 느끼게 하자.

134. 마음을 얻으려 하지 말고 마음을 열게 하자.

135. 믿으라 하지 말고 믿게 하자

136. 나에 행복 0순위는 아내의 행복이다! 일어나서 자기 전까지 모든 것 아내에게 집중!

137. 아내 말을 잘 듣자! 하는 일이 잘 된다!

138. 아버지가 어머니에게 이렇게 대했으면 하는 남편이 되겠습니다. 매형들이 누나들에게 이렇게 대했으면 하는 남편이 되겠습니다.

139. 내 몸은 아내거다. 빌려 쓰는 거다! 담배, 술, 몸에 무리가 가는 모든 것 자제 하고 건강관리, 자기관리 하겠습니다.

140. 아내의 은혜를 보답하기 위해 머리, 가슴, 몸, 돈으로 실천하겠습니다!

141. 아내에게 받은 사랑(내조) 보답하기 위해 머리, 가슴, 몸, 돈으로 실천하겠습니다.

142. 아내를 몸, 마음, 돈으로 평생 웃게 해서 호강시켜 주겠습니다.

143. 아내를 존경하겠습니다. 세상에 아내 같은 여자 없습니다.

144. 아내 빼고는 모든 여자는 공룡이다! 정신으로 살겠습니다.

145. 많은 사람들에게 인정받는 남편이 아닌 아내에게 인정받는 남편이 되기 위해 먼저 맞춰가는 남편이 되겠습니다.

146. 아내에게 무조건 지겠습니다. 이기려 하지 않겠습니다. 아내 앞에서는 나직성자체를 내려놓겠습니다. (나이, 직급, 성별, 자존심, 체면)

147. 지저분한 것(음식물 쓰레기, 화장실 청소)다 하겠습니다.

148. 함께하는 한 가지를 위해 개인 생활 10가지를 감

수하겠습니다.

149. 최강자 학습지 시작 (최보규의 강사학습지, 자기계발학습지)

150. 홈코 시작(집에서 화상 1:1 케어)

151. 불자의 인생 시작

152. 나는 복덩어리다. 나는 운이 좋은 사람이다.

153. 베스트셀러 3권 달성 노하우 책쓰기 교육 시작

154. 유튜브, 유튜버 100년 하는 노하우 교육 시작

155. 방탄멘탈마스터 양성 시작

156. 나다운 방탄멘탈 책으로 극단적인 선택 줄이기

157. 아침 8시, 저녁 9시 방탄멘탈공식 SNS 공유

158. 5번째 책 2022년 나다운 방탄사랑

159. 2023 나다운 방탄멘탈 2

160. 2024 나다운 책 쓰기(100년 가는 책)

161. 2025 유튜버가 아니라 나튜버
    (100년 가는 나튜버)

162. 2026 나다운 강사3(Q&A)

163. 2027 나다운 명언

164. 2029 나다운 인생(50살 자서전)

165. 줌 화상 기법 강의, 코칭(최보규줌사관학교)

166. 언택트(비대면)시대에 맞게 아날로그 방식 80%를 디지털 방식 80%로 체인지

167. 변기 뚜껑 닫고 물 내리기

168. 빨래개기

169. 요리하기, 요리책 내기 위한 자료 수집

170. 화장실 물기 제거

171. 부엌 청소, 집 청소, 화장실 청소

172. 사랑해 100번 표현하기

173. 아내에게 하루 마무리 안마 5분 해주기

174. 헌혈 2달에 1번

175. 헌혈증 기부

176. 네 번째 책 행복 히어로 책 출간

177. 극단적인 선택률, 이혼율 낮추기 위한 교육 시작

178. 행복률 높이기 위한 교육 시작

179. 다섯 번째 책 원고 작업 시작

180. 여섯 번째 책 자료 수집

181. 운전 중 양보 해 줄 때, 받을 때 목례로 인사하기.

182. 다섯 번째 책 나다운 방탄습관블록 출간

183. 습관사관학교 시스템 완성

184. 습관 코칭, 교육 시작

185. 아침 8시, 저녁 9시 습관 메시지 sns 공유

186. 습관 전문가 되어 무료 케어 상담 시작

187. 습관 콘텐츠 유튜브<행복히어로>에 무료 오픈

188. 여섯 번째 책 원고 작업 시작

189. 최보규상(대한민국 노벨상) 버킷리스트 설정

190. 2037년까지 운영진, 자금(상금), 시스템 완성 목표

설정

191. 최보규상을 1,000년 동안 유지하기 위한 공부

192. 일곱 번째 자존감 책 원고 작업

193. 여덟 번째 책 쓰기 책 자료 수집, 공부

194. 앉아서 일할 때 50분의 한번 건강 타이머 누르기

195. 세계 최초 자기계발쇼핑몰
    (www.자기계발아마존.com)

196. 온라인 건물주 분양 시작
    (월세, 연금성 소득 올릴 수 있는 시스템)

197. 일곱, 여덟 번째 책 축간
    (나다운 방탄자존감 명언 Ⅰ,Ⅱ)

198. 자기계발코칭전문가 1급, 2급 자격증 교육 시작

199. 방탄자기계발사관학교 Ⅰ,Ⅱ,Ⅲ,Ⅳ 4권 출간

200. 2021년 목표였던 9권 책 출간 달성!

201. 하루 3번 호흡 스펙 습관 쌓기 시작
    (코 8초 마시고, 5초 멈추고, 입으로 8초 내뱉기)

202. 장모님께 출간 한 책 12권 드리기

203. 2022년 최보규의 책 쓰기9 원고 작업 시작

204. 100만 프리랜서들 도움주기 위한 프로젝트 시작

205. 방탄 자존감 코칭 기술

206. 방탄 자신감 코칭 기술

207. 방탄 자기관리 코칭 기술

208. 방탄 자기계발 코칭 기술

209. 방탄 멘탈 코칭 기술

210. 방탄 습관 코칭 기술

211. 방탄 긍정 코칭 기술

212. 방탄 행복 코칭 기술

213. 방탄 동기부여 코칭 기술

214. 방탄 정신교육 코칭 기술

215. 꿈 코칭 기술

216. 목표 코칭 기술

217. 방탄 강사 코칭 기술

218. 방탄 강의 코칭 기술

219. 파워포인트 코칭 기술

220. 강사 트레이닝 코칭 기술

221. 강사 스킬UP 코칭 기술

222. 강사 인성, 멘탈 코칭 기술

223. 강사 습관 코칭 기술

224. 강사 자기계발 코칭 기술

225. 강사 자기관리 코칭 기술

226. 강사 양성 코칭 기술

227. 강사 양성 과정 코칭 기술

228. 퍼스널브랜딩 코칭 기술

229. 방탄 리더십 코칭 기술

230. 방탄 인간관계 코칭 기술

231. 방탄 인성 코칭 기술

232. 방탄 사랑 코칭 기술

233. 스트레스 해소 코칭 기술

234. 힐링, 웃음, FUN 코칭 기술

235. 마인드컨트롤 코칭 기술

236. 사명감 코칭 기술

237. 신념, 열정 코칭 기술

238. 팀워크 코칭 기술

239. 협동, 협업 코칭 기술

240. 버킷리스트 코칭 기술

241. 종이책 쓰기 코칭 기술

242. PDF 책 쓰기 코칭 기술

243. PPT로 책 출간 코칭 기술

244. 자격증 교육 커리큘럼으로 책 출간 코칭 기술

245. 자격증 교육 커리큘럼으로 영상 제작 코칭 기술

246. 책으로 디지털콘텐츠 제작 코칭 기술

247. 책으로 온라인 콘텐츠 제작 코칭 기술

248. 책으로 네이버 인물 등록 코칭 기술

249. 책으로 강의 교안 제작 코칭 기술

250. 책으로 민간 자격증 만드는 코칭 기술

251. 책으로 자격증 과정 8시간 제작 코칭 기술

252. 책으로 유튜브 콘텐츠 제작 코칭 기술

253. 유튜브 시작 코칭 기술

254. 유튜브 자존감 코칭 기술

255. 유튜브 멘탈 코칭 기술

256. 유튜브 습관 코칭 기술

257. 유튜브 목표, 방향 코칭 기술

258. 유튜브 동기부여 코칭 기술

259. 유튜브가 아닌 나튜브 코칭 기술

260. 유튜브 영상 제작 코칭 기술

261. 유튜브 영상 편집 코칭 기술

262. 유튜브 울렁증 극복 코칭 기술

263. 유튜브 썸네일 디자인 제작 코칭 기술

264. 유튜브 콘텐츠 제작 코칭 기술

265. 유튜브 수입 연결 제작 코칭 기술

266. 유튜브 영상 홍보 코칭 기술

267. 홈페이지 무인시스템 연결 제작 코칭 기술

268. 홈페이지 자동 결제 시스템 제작 코칭 기술

269. 홈페이지 비메오 연결 제작 코칭 기술

270. 홈페이지 렌탈 시스템 제작 코칭 기술

271. 홈페이지 디자인 제작 코칭 기술

272. 홈페이지 제작 코칭 기술

273. 재능마켓 크몽 PDF 입점 코칭 기술

274. 재능마켓 크몽 강의 입점 코칭 기술

275. 재능마켓 크몽 이미지 디자인 제작 코칭 기술

276. 재능마켓 크몽 입점 영상 제작 코칭 기술

277. 재능마켓 크몽 입점 영상 편집 코칭 기술

278. 재능마켓 크몽 VOD 입점 코칭 기술

279. 클래스101 영상 입점 코칭 기술

280. 클래스101 PDF 입점 코칭 기술

281. 클래스101 이미지 디자인 제작 코칭 기술

282. 클래스101 영상 제작 코칭 기술

283. 클래스101 영상 편집 코칭 기술

284. 탈잉 영상 입점 코칭 기술

285. 탈잉 PDF 입점 코칭 기술

286. 탈잉 이미지 디자인 제작 코칭 기술

287. 탈잉 영상 제작 코칭 기술

288. 탈잉영상 편집 코칭 기술

289. 탈잉 VOD 입점 코칭 기술

290. 클래스U 영상 입점 코칭 기술

291. 클래스U 영상 제작 코칭 기술

292. 클래스U 영상 편집 코칭 기술

293. 클래스U 이미지 디자인 제작 코칭 기술

294. 클래스U 커리큘럼 제작 코칭 기술

295. 인클 입점 코칭 기술

296. 자신 분야 콘텐츠 제작 코칭 기술

297. 자신 분야 콘텐츠 컨설팅 코칭 기술

298. 자기계발코칭전문가 1시간 ~ 1년 코칭 기술

299. 강사코칭전문가, 리더십코칭전문가 1시간 ~ 1년
     코칭 기술

300. 온라인 건물주 되는 코칭 기술

301. 강사 1:1 코칭기법 코칭 기술

302. 전문 분야 있는 사람 1:1 코칭 기법 코칭 기술

303. CEO, 대표, 리더, 협회장 품위유지의무 코칭 기술

304. 은퇴 준비 코칭 기술

305. 2023년 나다운 방탄리더십 1, 2, 3, 4, 5 출간

306. 나다운 방탄리더십 아침, 저녁 메시지 시작

307. 강사코칭전문가 자격증 시스템 시작

308. 방탄 리더십 원고 작업 시작

309. 방탄 리더 자존감 원고 작업 시작

310. 방탄 리더 멘탈 원고 작업 시작

311. 방탄 리더 습관 원고 작업 시작

312. 방탄 리더 행복 원고 작업 시작

313. 방탄 리더 자기계발 원고 작업 시작

314. 방탄 리더 코칭 원고 작업 시작

315. 마트에서 구입한 물건들 바코드 정렬해서 올리기

316. 장모님 머리 염색해 주기

317. 처남 금연, 금주 도와주기

318. 한 해 시작할 때 습관 영상 업로드

319. 결혼기념일 뺏지, 명찰 제작

320. 뒤꿈치 들기 운동 시작

작은 일도 무시하지 않고 최선을 다해야 한다.
작은 일에도 최선을 다하면 정성스럽게 된다.
정성스럽게 되면 겉에 배어 나오고
겉에 배어 나오면 겉으로 드러나고
겉으로 드러나면 이내 밝아지고
밝아지면 남을 감동시키고
남을 감동시키면 이내 변하게 되고 변하면 생육 된다.
그러니 오직 세상에서 지극히 정성을 다하는 사람만이
나와 세상을 변하게 할 수 있는 것이다.
<중용 23장>

아시아 선수 최초
득점왕

손흥민 선수의
Body 기본기, Head 기본기, Mind 기본기

손흥민 선수는 Body(몸) 기본기를 통해 아버지의 선물인 손흥민존을 만들었다. (좌우 500번씩 하루 1,000번슛 연습)

손흥민 선수는 Head(머리) 기본기를 통해 '축구 24시간' 수도승의 태도를 위해 철저하게 축구를 위한 삶을 살고 있다.

손흥민 선수는 Mind(마음) 기본기를 통해 "축구 실력보다 겸손이 먼저다."라는 겸손의 기본기를 실천하고 있다.

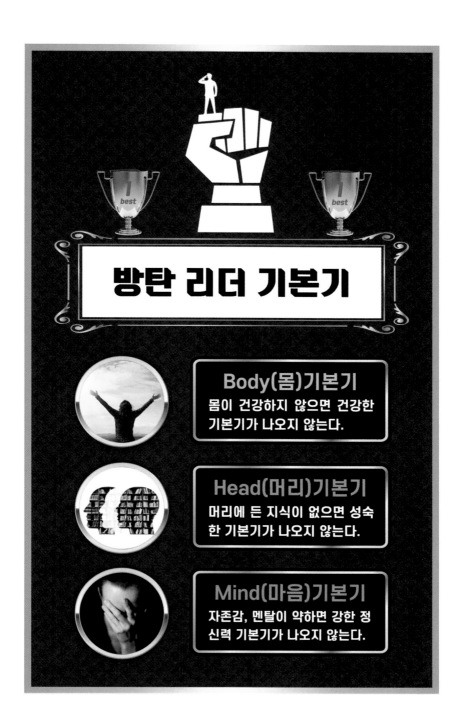

방탄 리더 기본기

Body(몸)기본기
몸이 건강하지 않으면 건강한 기본기가 나오지 않는다.

Head(머리)기본기
머리에 든 지식이 없으면 성숙한 기본기가 나오지 않는다.

Mind(마음)기본기
자존감, 멘탈이 약하면 강한 정신력 기본기가 나오지 않는다.

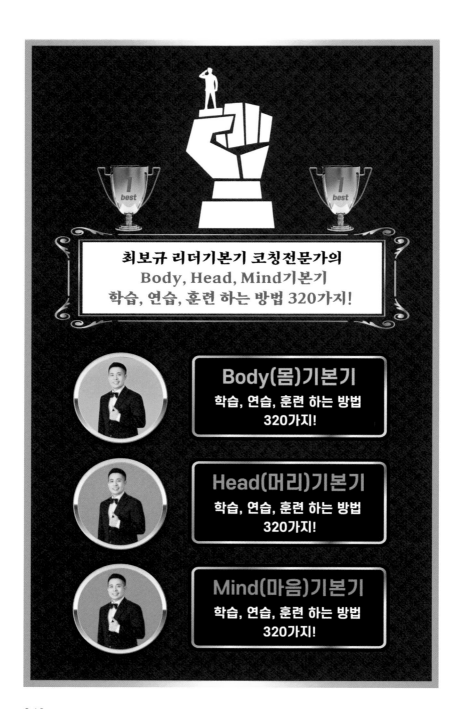

최보규 리더기본기 코칭전문가의
Body, Head, Mind기본기
학습, 연습, 훈련 하는 방법 320가지!

Body(몸)기본기
학습, 연습, 훈련 하는 방법
320가지!

Head(머리)기본기
학습, 연습, 훈련 하는 방법
320가지!

Mind(마음)기본기
학습, 연습, 훈련 하는 방법
320가지!

지금 세계인구가 80억 명이다. 그렇다면 나다운 기본기도 80억 가지다. 자신 분야에서 나다운 기본기를 만들 때 나다운 인생을 살 수 있고 행복한 인생, 삶의 질이 높은 인생을 살 수 있다. 다음은 각 분야에 기본기가 어떻게 다르고 자기다운 기본기를 통해 자신 분야에서 압도적인 내공이 나와 주위 사람들을 내 편으로 만들고 결과를 내는 스토리텔링들을 참고하자.

◆ 행복의 기본기.

교통사고보다 4배 무서운 것? 한해 교통사고 사망자 3,000명이다. 대한민국 현주소 극단적인 선택을 하는 사람 한해 12,000명이고 하루 32명 이혼 건수 1년 1만, 10년 11만 800건입니다. 포노 사피엔스 시대!(스마트폰 시대) 4차 산업 시대! AI 시대! SNS 시대! 챗GPT 시대 초고속 성장, 스마트폰으로 인해 상대적 불행 상대적 불만, 상대적 빈곤에 노출이 되어 행복을 도둑맞고 있다. 대한민국 굶어서 죽는 사람 없다. 행복, 정, 사랑이 굶주려 극단적인 선택을 하는 사람은 많아지고 있다. 밥은 먹고 다니냐? 행복은 먹고 다니냐? 정은 먹고 다니냐? 사랑은 먹고 다니냐? 4차 산업 시대! AI 시대! 앞으로

5, 6, 7, 8, 9, 10G 시대! 기계문명은 초고속으로 발전하고 몸은 편해지고 있지만 안타깝게도행복, 정, 사랑은 더 굶주려 가고 있다. 밥 굶는 사람보다 행복, 정, 사랑 굶는 사람이 더 많아지고 있다.

밥은 먹고 다니냐? 행복은 먹고 다니냐?

정은 먹고 다니냐? 사랑은 먹고 다니냐?

행복 고프지? 정 고프지? 사랑 고프지?

행복, 정, 사랑 고픈 거 말 안 해도 다 알어!

어여와 방탄자기계발사관학교에서 같이 묵자!

행복 헝그리? 대한민국 사람들이 배고파하고 있다?

마음 헝그리로 인해 극단적인 선택 증가.

격려, 위로, 사랑, 관계, 소통 헝그리로 인해 우울증 증가, 이혼 증가 모든 헝그리에 시작은 행복이 헝그리 하면 발생을 한다. 배가 고프면 배에서 꼬르륵 시그널을 보내듯 행복이 고프면 짜증, 우울, 무기력증, 불평, 불만 부정의 비교, 탓, 화, 욕, 의욕 저하 불면증, 슬럼프, 권태기... 시그널을 보낸다. 헝그리는 순간 해결할 수 있지만 행복 헝그리는 시간이 오래 걸린다. 행복 헝그리 시간을 단축시키는 방법은 오늘 행복 헝그리에 집중하는 것이다.

행복 왜? 배워야 하나? 행복을 배우는 건!

인생은 이렇게 살아야 되는구나! 알게 해준다.

사랑을 이렇게 해야 되는구나! 알게 해준다.

인간관계를 이렇게 해야 되는구나! 알게 해준다.

하는 일을 이렇게 해야 즐거운 거구나! 알게 해준다.

나답게 사는 것이 이렇게 사는 거구나! 알게 해준다.

내가 사는 이유가 이거였구나! 알게 해준다.

《행복히어로》

◆ 행복의 기본기는 교통사고보다 4배 더 무서운 것이 극단적인 선택이 되어버린 가장 큰 이유가 초고속 성장 속도에 마음 성장은 따라가지 못해서 마음 헝그리 때문이다. 행복 헝그리를 해결하는 방법은 오늘 행복은 내일로 이월이 안 되기에 자신의 오늘 행복 헝그리에 집중해야 한다. 그러기 위해서는 행복의 기본기인 행복 학습, 연습, 훈련해야 한다. 대한민국에서 행복의 기본기 학습, 연습, 훈련 하는 기관은 www.방탄자기계발사관학교.com 뿐이다.

◆ 반려견 행복을 위한 견주의 기본기.

강아지와 나, 우리가 행복할 수 있는 최고의 선택!

강형욱: 유학 생활하면서 그때는 녹록지 않았을 텐데 강아지를 돌보는 일이 힘들지는 않았어요?

태경민: 물론 강아지들은(돌보는데) 시간도 들고 비용도 들고 에너지도 들지만 결과적으로는 제가 더 받는 게

많은 거 같아요.

힘들었지만 괜찮았고 그냥 '미안해요' 항상 미안해요.

강형욱: 어떻게 미안해요?

태경민: 강아지는 태어날 때부터 불공평한 거 같아요. 아이들은 일찍 가고 사람은 더 오래 살고 애들은 내가 전분데 난 애들이 전부가 아니잖아요. 사실 그게 일단 미안한 거고 만약에 제가 하루를 버리면 나는 내 선택으로 버리는 거지만 내가 만약에 그냥 애들 산책을 안 시켜주고 하면 내 선택으로 애 하루를 버리는 건데 내 하루가 애들한테는 1주일이잖아요.

수명이 짧으니까. 나의 선택으로 사자(치와와)와, 지구(불독)의 일주일이 버려지는 거니까. "항상 미안해요" 그래서 최대한 산책 많이 시켜주고 집 인테리어를 강아지를 위해서 했습니다.

<tvN STORY 고독한훈련사>

◆ 하루 중 반려견에게 가장 큰 사랑, 행복, 선물을 주는 것은 산책과 놀아주는 시간이다. 산책과 놀아주는 시간을 의무적으로 해야 한다. 견주의 하루는 제2의 가족인 반려견의 1주일이다. 견주는 반려견 외에 가족들, 소중한 사람들, 친구들이 있지만 반려견에게는 우주에서 유일하게 견주 밖에 없다. 반려견의 행복을 위해서 산책과 놀아주는 시간은 의무적으로 해야 한다. 반려견에게

는 시간이 별로 없다. 반려견 행복을 위한 견주의 기본기는 제2의 가족이 되어준 소중한 반려견 행복에 집중하는 것이다.

◆ 반려견 죽음에 대한 견주의 기본기.

노견을 키우시는 보호자님들이 절대 하면 안 되는 것?

강형욱(개통령): 노견 키우시는 분들은 항상 걱정이더라고요.

안소희(전 원더걸스): 언젠간 헤어지게 되니까요.

강형욱(개통령): 근데 절대 하지 말아야 되는 게 하나 있어요. 이런 타입(푸들)이 개들은 "얘 떠나면 어떡하지"라는 마음에 한 12~13살 됐을 때 둘째 강아지를 데려오면 그럼 이 친구(푸들)가 "이제 좋은 강아지 왔구나. 이제 나는 경쟁하기 힘들어졌어. 이제 내가 이 집으로부터 떠날게"라고 하는 경우들이 되게 많아요.

그래서 아기 강아지를 데려오면 저기 구석 같은 데서 "죽을 때까지 여기에서 혼자 가만히 있을게.(떠날 준비를 시작하는 노견)"라고 마음을 먹고 보호자와의 함께 했던 시간들을 자기가 끊어요.

<유튜브 강형욱의개스트쇼>

◆ 반려견 죽음에 대한 견주의 기본기는 견주 자신 마음이 힘들까봐 노견이 떠날 걸 대비해서 아기 반려견을

준비하는 것이 아니라 노견의 마지막 날까지 노견과 더 많은 추억을 쌓기 위해 노견에게 집중해야 한다.

노견이 하늘나라로 가고 난 뒤 최선을 다하지 못 해준 미안함인 "아 못 해준 것이 많은데... 그때 더 사랑해 줄 걸... 그때 더 맛있는 간식들 사줄걸... 우리 반려견이 좋아하는 장소 더 많이 갈 걸... 너무 후회된다. 너무 보고 싶어... 마음이 너무 외로워..." 라는 마음의 후회가 아닌 "그래 난 우리 반려견 사랑, 행복을 위해서 최선을 다했어. 다 못 해준 것도 많지만 있는 동안에 산책, 놀아주는 시간을 후회 없이 많이 해줬어. 이제는 함께 못하지만 내가 반려견에게 받은 사랑, 행복, 고마움들 잊지 않고 다음에 만나는 반려견에게 1,000배로 돌려줄게."라는 견주가 되어야 한다.

◆ 유품정리사의 기본기, 죽음의 기본기, 인생의 기본기.
유품을 정리할 때 한 번도 사용하지 않은 새 물건들이 쏟아져 나올 때가 있어요.
어떤 고인은 어렵게 번 돈을 모두 저축하고, 고추장과 김치만으로 끼니를 때우다 돌연사했고 결국 자신은 아무것도 누리지 못했어요.
내가 없으면 결국 버려질 것들입니다. 지금이 아니면 사용하지 못할 것들도 많아요.

건강한 몸으로 살아 있을 때, 아끼지 말고 충분히 사용하세요. 유품 정리 일을 시작하면서 가장 크게 배운 것이 있다면 가진 것을 잘 사용하고 필요 없는 건 과감히 버리는 겁니다.

지금 이 순간을 살아가는 나를 위해 가진 것들을 너무 아끼지 마세요. "행복한 사람은 있는 것을 사랑하고 불행한 사람은 없는 것을 사랑한다."는 말이 있다.

죽어서 가져갈 수 있는 것은 결코 아무것도 없다. 당신 스스로를 아껴주고, 어제나 내일이 아닌, 지금 이 순간을 즐기며 살아가자.

<김새별(유품정리사)>

◆ 죽음의 기본기, 행복한 인생의 기본기는 주어진 것, 있는 것을 최대한 잘 쓰고 지금 눈에 보이는 것, 눈에 보이는 사람에게 최선을 다하는 삶을 살아가야 한다.

◆ 맥아더 장군을 울린 한국 소년병의 기본기.
맥아더 장군을 울린 한국 소년병.
영화 '인천상륙작전'에는 북한의 침략에 맞서 한강 방어선을 지키던 소년병이 맥아더 장군을 만나 그를 감동시키는 장면이 나옵니다.

북한의 기습 공격으로 시작된 민족의 비극 6.25. 소련의 군사 지원으로 철저히 무장했던 인민군에 비해 국군은

열세였습니다. 속수무책으로 밀리던 상황. 한강 방어선에는 자원입대한 한 소년병이 서 있었습니다. 일본 제국주의를 무찌른 오성장군 맥아더는 1950년 6월 29일 한강 전선 시찰 중 이 소년병과 만납니다. 맥아더 장군(영화 속 장면) : "네가 원하는 걸 다 해주겠다고 했더니 나에게 말하더군. 총과 충분한 실탄을 주십시오. 난 그 소년이 나와 같은 군인이라는 걸 느꼈어."

<KBS News>

◆소년병의 기본기는 군인의 기본기인 "상관의 명령에 충성한다."라는 태도로 무서움, 어려움, 힘듦 속에서 좌절하지 않고 끝까지 싸우려는 행동이 사람의 마음을 움직였다.

◆ 의사의 기본기.

김사부: 수술실은 두 종류의 의사만 들어갈 수 있어. 살리겠다는 놈, 그리고 배우겠다는 놈 그런 마음 없이 함부로 칼 잡고 수술대 앞에 서면 안 되는 거야!

장동화: 지금 저 혼내시는 겁니까?

김사부: 눈치는 빠르네

장동화: 왜요? 제가 서우진 선생님한테 대들어서요?

김사부: 대든건 괜찮아. 뭐 의견이 안 맞거나 다르면은 뭐 싸울 수도 있어!

환자를 위해서 충분히 그럴 수 있어!

장동화: 그런데요?

김사부: 근데 아니잖아 넌! 의견이 아니라 시비를 걸고 있잖아!

장동화: 그럼 어떻게 이해해야 합니까? 제가!

"국대 선수는 꾀병이라며 짤 없이 돌려보내 놓고, 저 방화범 할머니는 어떻게든 살려 보겠다는데!" "국대든 방화범이든 설령 그게 살인범일지라도!

김사부: 무슨 개코 씹어먹는 소리야! 야! 그럼 뭐! 국대는 꾀병이어도 어떻게든 병원에 붙잡아 놨어야 했고 방화범 따위는 죽든 살든 뭐 아무런 상관도 없다는 그런 소리야 지금? 의사는 가운을 입은 순간 그 어떤 환자도 차별하거나 구분해선 안 돼. 어떤 환자든 평등하고 공평하게 국대든 방화범이든 설령 그게 살인범일지라도 의사인 순간만큼은 넌 그 환자를 치료해 줘야 할 의무가 있어! 그게 의사로서의 숙명이고 책임이야!

알았어? 죽어가는 환자 앞에다 눕혀 놓고 뭘 잘잘못 따지고 좋은 놈 나쁜 놈 구분하고 차별하고. 야! 그럴 거면 가서 그냥 판검사를 해! 여기 있지 말고! 앞으로 너 내 허락 있을 때까지 수술실에 들어오지 마! 살릴 마음도 없고 배울 마음도 없는 놈은 수술실 출입 금지야! 어디 그런 정신머리로 칼을 잡겠다는 거야! 누구 죽일 일 있어?

장동화: 이런 분이셨습니까?

김사부: 뭐?

장동화: 선생님은 뭔가 다를 줄 알았는데 꼰대질하는 건 다른 교수님들이랑 똑같으시네요.

김사부: 너 지금 뭐라 그랬어?

장동화: 전공의 나부랭이 주제에 함부로 대들지 마라! 까불지 마라! 애저녁에 싹 죽여 놓고 기 꺾어 놓고 시작하는 거 아닙니까? 이거 지금?

김사부: 아 이 새끼 봐라! 이거 야! 이게 또 간만에 전투력에 불을 확 지르네 이게

장동화: 이 새끼라뇨! 함부로 말씀하지 마십시오! 선생님!

김사부: 선생이라고 부르지 말든가! 그럼! 야! 교육인지 훈육인지 구별도 못하고 나이 많은 것들이 하는 소리는 죄다 꼴질에 꼰대질로 제껴버리면서 선생님은 무슨 말라비틀어질 놈의 선생님이야! 어이 장동하 선생님 그럼 너도 마음 편하게 그러면 이 새끼, 저 새끼야 해. 참고로 나는 성질머리가 원래 이렇다.

노력도 안 하는 주제에 세상 불공평하다고 떠드는 새X들 실력도 하나 없으면서 의사 가운 하나 달랑 걸쳐 입었다고 잘난 척하는 X끼들! 지 할 일도 제대로 안 하면서 불평, 불만만 늘어놓는 새끼들! 그냥 어이구 대 놓고

조지는 게 내 전공이거든 알아둬라!
<SBS 낭만닥터 김사부3>

◆ 의사의 기본기는 환자의 위치, 재력, 권력...등 눈에 보이는 스펙이 아닌 의사는 오로지 환자를 치료하고 환자를 살리겠다는 마음으로 배우려는 것이다.

◆ 지도자의 기본기, 박지성의 기본기.
박지성 선수가 지도자의 길을 걷지 않는 이유?
축구 행정으로 방향을 잡은 이유?
선수 생활을 하면서 히딩크 감독님, 퍼거슨 감독님 세계적인 명장들 밑에서 선수 생활을 해왔는데 "내가 저들과 같이 좋은 감독이 될 수 있을까?"라는 생각을 해봤을 때 그렇다고 생각하지 않았거든요. (냉철한 자기 평가) 그분들이 갖고 있는 공통점을 봤을 때 경기장에서 선수의 재능을 100% 끌어내는 능력이 뛰어납니다. 그것은 '당근'만 줘서는 할 수가 없잖아요. 독한 채찍도 필요한데 전 채찍질을 못 하니까 선수가 무서워서 어쩔 줄 모를 정도로 압박해서 선수가 가지고 있는 잠재력의 마지막 한 방울까지 쥐어짜 내도록 해야 하는 일이다 보니 저는 그렇게까지는 못하겠더라고요.
'그렇다면 내가 할 수 있는 일이 뭘까?' 받은 사랑에 보답할 만할 길을 찾다가 행정 쪽 일을 공부하면 어떨까?

라고 생각했죠. 왜냐하면 좋은 선수를 길러내는 것이 좋은 코치라는 것은 누구나 아는데 그럼 좋은 코치는 어떻게 길러내는가? 결국 중요한 것은 선순환 시스템이라 판단하고 한 단계 더 큰 그림을 보며 축구 행정을 공부하는 중입니다.

'박지성'을 장식하는 수식어들

2005년 한국인 최초 영국 프리미어리그 진출. 아시아 유일 UEFA 챔피언스리그 우승. 아시아 유일 FIFA 클럽 월드컵 우승. 2002 월드컵 4강 신화의 주역. 아시아 최초 월드컵 3개 대회 연속 득점 기록.

제가 신체적인 격차를 극복하고 버틸 수 있었던 이유 중 하나는 학창 시절 "기술이 뛰어나면 체격 한계를 커버할 수 있다."라는 선생님 말에 믿음, 희망을 갖고 기술 쪽에 집중해 훈련을 했죠. 축구의 기본인 리프팅(신체 부위를 이용해 공을 땅에 떨어뜨리지 않고 튕기는 기술)을 어릴 때 3,000번 하기까지 연습을 많이 했다.

<KBS 대화의희열 박지성>

◆ 박지성의 기본기는 자신 단점인 왜소한 체격을 극복하기 위한 축구의 가장 기본인 리프팅 기술에 집중하고 장점으로 만들었다. 장점에 집중할 수 있었던 것은 자신에 대해 주제 파악(메타인지)을 잘해서 자신의 단점과 장점을 정확하게 구분하여 장점에 집중했기에 축구 행

정 쪽으로 길을 선택 할 수 있었다.

◆ 도미노효과 기본기.

2009년, 네덜란드 레바르덴에서 도미노의 날 행사가 열렸다. 도미노 기업인 '베이어스'가 4,491,863개의 도미노를 늘어세우고 세계 기록 경신에 도전한 것이다. 도미노 하나에서 시작된 연쇄 반응은 약 94,400줄을 쓰러뜨리는 큰 에너지를 방출하며 세기에 남을 경관을 자아냈다.

도미노 원리가 흥미로운 점은 도미노를 더 많이 세워놓을수록 더 많은 잠재적 에너지가 축적되고 이 많은 에너지가 도미노 블록의 개수와 상관없이 손가락을 한 번 간단히 튕기는 최초의 행위만으로 발생된다는 점이다. 미국의 한 물리학 저널에 따르면 한 개의 도미노는 그 다음 세워져 있는 도미노가 1.5배 크더라도 넘어드릴 수 있다고 한다. 샌프라시스코 과학관의 한 물리학자는 합판으로 도미노 8개를 만들었다.

첫 번째 도미노의 크기는 고작 5cm에 불과했지만 여덟 번째는 90cm에 가까웠다.

차례로 1.5배씩 크기가 큰 도미노를 세운 것이다.

물리학자는 잠깐 숨을 고른 후 손가락으로 톡 건드려 첫 도미노를 넘어뜨렸다.

그러자 얼마 지나지 않아 아주 커다란 굉음을 만들어

낼 수 있었다. 90cm 도미노가 무너진 것이다

이 도미노 원리는 기하급수 원리라고도 부른다.

기하급수적으로 수(크기)가 커진다는 것인데, 23번째에 이르면 에펠탑보다 크고, 31번째에 이르면 도미노는 에베레스트산보다 900m 더 높아진다. 57번째 도미노는 지구에서 달까지 다리를 놓아줄 만큼 어마어마해진다. 그런데 이 모든 것이 최초의 미미한 5cm에서 이뤄지는 것이다.

<원씽>의 저자 게리 켈러는 남다른 성과를 만들어 내는 사람들의 공통점을 이 도미노 원리에서 찾고 있다.

삶은 크고 작은 수많은 문제들로 뒤덮여 있습니다. 하지만 우선순위를 세우고 줄을 맞춰 잘 세운다면 최초의 단 하나, 그것만을 제대로 움직임으로써 다른 문제들을 저절로 쓰러뜨릴 수 있습니다. 게리 켈러는 지금 내가 할 수 있는 단 하나의 일을 찾으라고 강조한다.

그 일을 찾게 되면 1.5배의 도미노가 연쇄적으로 쓰러지듯이 다른 일들은 할 필요가 없거나 쉽게 할 수 있기 때문이다. 큰 성공은 순간적이거나 또는 동시다발적이라기보다 일정한 시간을 갖고 순차적으로 일어납니다.

처음에는 미미해 보이지만, 그 영향력은 기하급수적으로 커지지요. 따라서 삶의 여러 도미노를 세우는 시간 동안, 그리고 처음 일정 시간 동안은 인내해야 됩니다.

우선순위에 고민하며 집중해야 합니다. 성공의 잠재력은

봇물 터지듯 발산될 것입니다.

사람의 습관 형성도 비슷하다. 성공한 스타, 운동선수, 기업가를 보면 어떻게 저렇게 자기관리를 철저히 할 수 있는지, 혀를 내두르게 된다. 하지만 그들도 처음에는 분명 미약했다. 습관을 만드는 건 처음에만 힘듭니다. 일단 좋은 습관을 만들기만 하면 유지하는 데는 에너지와 노력이 훨씬 덜 들어갑니다. 최소의 노력만으로 충분합니다. 그렇다면 행동이 습관이 되기까지 얼마만큼의 시간이 필요할까요? 새로운 습관을 들이는 데 평균 66일이 걸리는 것으로 나타났습니다.

66일에 해당하는 자기 통제력을 갖추는 것을 목표로 하고 집중하십시오. 어떻게든 66일 동안을 모든 통제력과 훈련을 동원하십시오. 모든 일을 다 제대로 하려면 실패할 뿐입니다. 66일을 견뎌 긍정적인 습관을 들이는 데 성공한 학생들은 스트레스를 덜 받고 충동구매가 줄었으며 식습관도 나아졌다. 술, 담배, 커피 소비도 줄었고 TV를 보는 시간도 줄어들었다. 한 가지 습관을 들이면 그 일뿐만 아니라 다른 일들도 손쉬워진 것이다.
좋은 습관을 가진 사람들이 다른 이들보다 무엇이든 더 잘 해내는 것처럼 보이는 것도 이 때문이다.
삶의 성공 원리를 왜 도미노 법칙이라고 부르는지 이해

가 되었는가? 선택적 집중의 힘을 발휘하여 첫 번째 도미노를 무너뜨려라 탁월한 성과가 당신을 찾아올 것이다. 책<원씽>을 참고하였습니다.

<유튜브 체인지그라운드>

◆ 도미노 기본기는 사소한 행동으로 만들어진 결과물(작은 성공)들이 누적으로 큰 힘이 되어 큰 결과물(성공)을 만들어 낸다는 것이다.

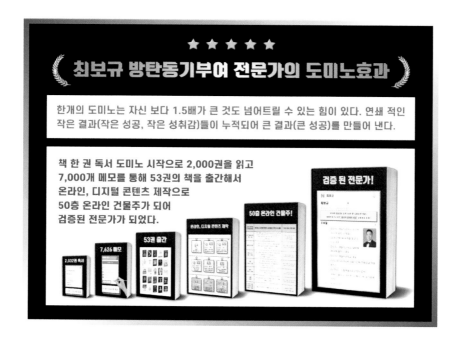

8가지 기본기 스토리텔링을 보면서 어떤 생각이 드는가? 어떤 느낌이 드는가? 분야는 다르지만 기본기에 중요성을 더 깊이 알게 되었을 것이다. 앞에서도 언급했듯이 세계인구 80억 명 80억 가지 기본기 자신 분야 나다운 기본기를 만들어 가야지만 강력한 기본기 스펙이 되는 것이다.

가정 기본기, 부모 기본기, 엄마 기본기, 아빠 기본기, 아들 기본기, 딸 기본기, 성인 기본기, 시니어 기본기, 리더 기본기, 임원진 기본기, 팀원 기본기, 직원 기본기, 견주 기본기, 사랑 기본기, 돈 기본기, 인간관계 기본기... 세상 모든 기본기의 3요소는 Body(몸) 기본기, Head(머리) 기본기, Mind(마음) 기본기다.

세상 모든 기본기의 3요소인 Body(몸) 기본기, Head(머리) 기본기, Mind(마음) 기본기 학습, 연습, 훈련하기 위한 기본은 방탄 리더 기본기 7단계다!
(리더 기본기 본질, 리더 자존감 기본기, 리더 기본기 멘탈, 리더 습관 기본기, 리더 행복 기본기, 리더 자기계발 기본기, 리더 기본기 코칭)
대한민국에서 방탄 리더 기본기 7단계 학습, 연습, 훈련하는 기관은 방탄자기계발사관학교 한 곳뿐이다!
www.방탄자기계발사관학교.com

도미노효과

한개의 도미노는 자신 보다 1.5배가 큰 것도 넘어 트릴 수 있는 힘이 있다. 연쇄 적인 작은 결과(작은 성공, 작은 성취감)들이 누적되어 큰 결과(큰 성공)를 만들어 낸다.

최보규 방탄동기부여 전문가

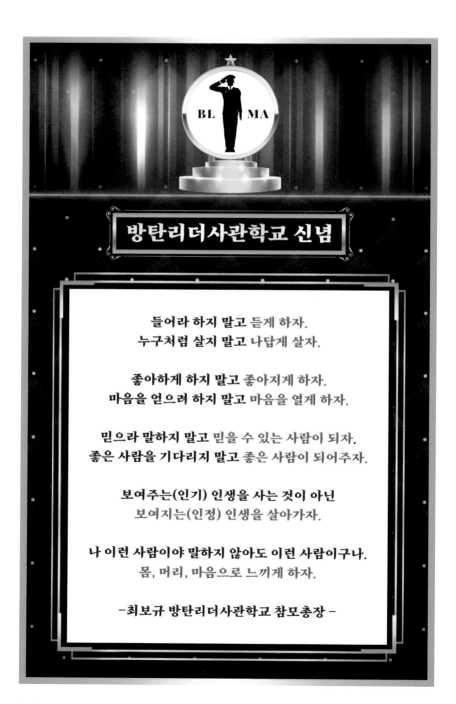

방탄리더사관학교 신념

들어라 하지 말고 듣게 하자.
누구처럼 살지 말고 나답게 살자.

좋아하게 하지 말고 좋아지게 하자.
마음을 얻으려 하지 말고 마음을 열게 하자.

믿으라 말하지 말고 믿을 수 있는 사람이 되자.
좋은 사람을 기다리지 말고 좋은 사람이 되어주자.

보여주는(인기) 인생을 사는 것이 아닌
보여지는(인정) 인생을 살아가자.

나 이런 사람이야 말하지 않아도 이런 사람이구나.
몸, 머리, 마음으로 느끼게 하자.

-최보규 방탄리더사관학교 참모총장 -

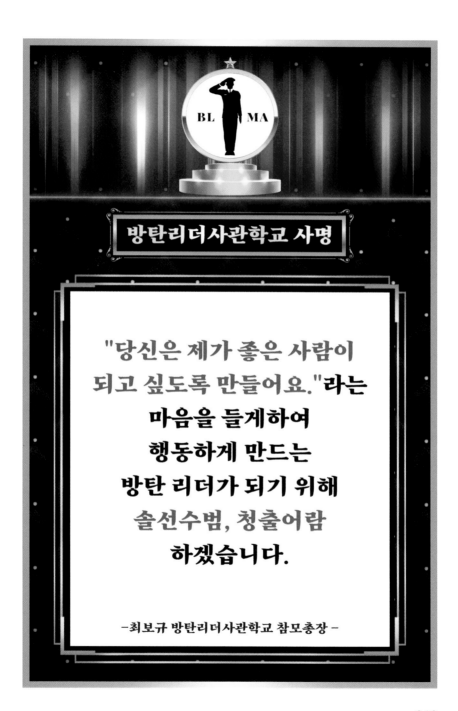

방탄리더사관학교 사명

"당신은 제가 좋은 사람이
되고 싶도록 만들어요."라는
마음을 들게하여
행동하게 만드는
방탄 리더가 되기 위해
솔선수범, 청출어람
하겠습니다.

-최보규 방탄리더사관학교 참모총장 -

269

- 세상에서 가장 강력한 태도 스펙! 태도 스펙 학습, 연습, 훈련!

★ 20,000명 심리 상담, 코칭 하면서 알게 된 리더 태도의 비밀! 태도 고.틀.선.편 깨기 (고정관념, 틀, 선입견, 편견)

인생을 살아가면서 태도가 중요하다는 것을 모르는 사람은 없다. 다음은 태도가 왜 중요한지 깨닫게 해주는 내용이다.

'인생을 100점짜리로 만들기 위한 조건'을 찾는 방법은 이렇다. 일단 알파벳 순서대로 숫자를 붙여준다. A에 1을 붙여주고 B에 2, C에 3, D에 4... 이런식으로 Z(26)까지 붙이면 된다. 그런 다음 어떤 단어 알파벳에 붙여진 숫자를 모두 더해 100이 되는 단어를 찾는다.
"열심히 일하면 될까? H A R D   W O R K = 8 + 1 + 18 + 4 + 23 + 15 + 18 + 11 = 98점
일만 열심히 한다고 100점짜리 인생이 되는 건 아니다."
"그렇다면 지식이 많으면? K N O W L E D G E = 11 + 14 + 15 + 23 + 12 + 5 + 4 + 7 + 5 = 96점

사랑을 하면? love는 54점이다.

운은 무엇일까? luck는 47점이다.

돈이 많으면? money는 72점이다.

리더십? leadership은 89점이다. "그럼, 무엇이 인생을 100점짜리로 만드는 것일까? 답은 attitude(태도)이다." A T T I T U D E = 1 + 20 + 20 + 9 + 20 + 21 + 4 + 5 = 100점

'인생을 100점짜리로 만들기 위한 조건' 한 때 자기계발서에 많이 나왔던 스토리다. 필자도 방탄동기부여 전문가가 되기 전에 '인생을 100점짜리로 만들기 위한 조건' 스토리를 보면서 "태도가 중요하구나!" 순간만 느끼고 1초 뒤에 쓰레기 취급해 버렸던 사람이었다. 태도를 어떻게 만들어 가고 태도를 어떻게 평상시에 꾸준히 학습, 연습, 훈련할지가 중요한데 태도 학습, 연습, 훈련 방법을 몰랐기에 태도를 쓰레기 취급해 버렸다는 것이다. 90%의 사람들도 "태도가 중요하구나!" 1초만 생각하고 행동하지 않는다는 것이다. 그럴 수밖에 없다. 태도라는 것이 눈에 보이는 것인데 눈에 보이지 않는다고 착각하고 있기 때문이다. 때론 태도가 말보다 더 많은 것을 알게 해준다. 그리고 시행착오, 대가 지불, 인고의 시간 속에서 만들어지는 것이기 때문에 좋은 태도를 만드는 것이 쉽지 않다.

20,000명 심리 상담, 코칭으로 알게 된 태도의 비밀!
7G 직업(출판사 대표, 작가, 심리 상담사, 코칭 전문가, 강사, 유튜버, 한집의 가장)을 통해 알게 된 태도의 비밀!
2,000권 독서로 알게 된 태도의 비밀!
7,000개 메모로 알게 된 태도의 비밀!
자기계발서 53권 출간으로 알게 된 태도의 비밀!
온라인 콘텐츠, 디지털 콘텐츠 제작으로 50층 온라인 건물주가 되어 알게 된 태도의 비밀!
강의 6,000회 경력으로 알게 된 태도의 비밀!
45년간 습관 320가지 만들면서 알게 된 태도의 비밀!
강사 15년, 유튜버 5년 하면서 알게 된 태도의 비밀!

리더의 태도는 눈에 보이지 않지만 보이게 하는 것이 자존감, 멘탈, 습관, 행복, 자기계발, 코칭이라는 것을 알았다.
자존감이 낮은 리더들 90%는 태도가 안 좋았다.
멘탈이 낮은 리더들 90%는 태도가 안 좋았다.
태도가 안 좋은 사람들 90%는 좋지 않은 태도 습관이 있었다.
지금 삶이 행복하지 않은 사람들 90%는 태도가 안 좋았다.
수입 창출할 수 있는 자기계발, 동기부여를 못하는 사람들 90%는 태도가 안 좋았다.

리더가 코칭(인재 양성 매뉴얼, 시스템)매뉴얼, 시스템이 없는 리더들 90%는 태도가 안 좋았다.

이제는 검증된 방탄동기부여 전문가가 되어서 태도를 어떻게 만들어 가고 어떻게 학습, 연습, 훈련해야 하는지를 매뉴얼을 만들고 시스템화했다.

리더 인생을 100점 짜리로 만들어 주는 태도를 만들기 위한 리더 태도 매뉴얼, 시스템!

1. 리더 태도의 본질

2. 리더 태도 자존감

3. 리더 태도 멘탈

4. 리더 태도 습관

5. 리더 태도 행복

6. 리더 태도 자기계발, 동기부여

7. 리더 태도 코칭

태도가 중요하다고 하는데 어떻게 좋은 태도를 가질 것인가? 어떻게 하면 리더 자신, 리더 자신 분야 태도를 학습, 연습, 훈련할 수 있을까? 어디서 리더 자신, 리더 자신 분야 태도를 학습, 연습, 훈련할 것인가?

대한민국에서 태도 학습, 연습, 훈련하는 기관은 방탄자기계발사관학교 한 곳뿐이다!

방탄리더사관학교

BULLETPROOF LEADER MILITARY ACADEMY

방탄 리더십과

리더 사명감과	리더 기본기과	리더 태도과
리더십 식스펙(PT)과	리더 감정컨트롤과	리더 인간관계과
리더 소통과	리더 스토리텔링과	리더 스피치과
리더십 은퇴 준비과	리더 천재일우과	리더 7대 의무교육과
리더 자존감과	리더 멘탈과	리더 습관과
리더 행복과	리더 자기계발, 동기부여과	리더 재테크과
리더 방탄book기술력과	리더 책 쓰기, 출간과	리더 유튜버과
리더 강사과	리더 코칭과	리더 인재양성과

★ 세상에서 가장 강력한 태도 스펙! 어떻게 학습, 연습, 훈련할 것인가?

다음은 태도 스펙이 얼마만큼 중요한 것인지 깨닫게 해주는 내용이다.

아마추어와 프로를 결정짓는 5가지 태도!
행동이 없으면 결과가 없고 피드백할 것도 없고 성장도 없습니다. 주변을 둘러보면 하나를 하더라도 특별하게 해내는 사람들이 있어요. 한 분야의 정점을 찍은 사람 우리는 그들을 고수라고 부릅니다. 그들은 스스로를 딱히 열심히 광고하지 않지만 주변 사람들이 알아서 입소문을 내기도 하며 사람들은 그들을 찾아 나서기까지 하죠.

한 분야에서 정점을 찍은 사람을 우리는 마음속으로 부러워해요. 하지만 막상 그런 사람들처럼 되려고 하지 않는 것 같아요. 오히려 이런 말을 하곤 합니다. "쟤는 원래부터 그랬을 거야 원래부터 저런 재능이 있었을 거야." 하지만 고수들은 그만한 실력을 갖추기까지 오랜 시간 실력을 갈고 닦아왔으며 보통의 사람들과는 완전히 다른 태도를 유지하기 위해서 노력해 왔다는 것을 쉽게 알 수 있어요.

그래서 오늘은 한 분야에 정점을 찍은 고수들의 다섯 가지 특징을 말씀드리려고 합니다.

첫 번째, 그들은 지식을 자산으로 생각합니다. 보통 자산이라고 하면 현금, 주식, 부동산이 떠오를 거예요. 하지만 이렇게 숫자로 표현되는 것만이 자산이 아니에요. 이제는 지식이 정말로 중요한 자산이 되었습니다. 예전에는 돈을 가진 자가 세상을 지배했지만 앞으로는 지식을 가진 자가 모든 것을 지배할 거예요. 고수들은 지식이라는 자산이 돈과 다르게 세습되지 않는다는 것을 알고 있습니다.

경제적으로 풍족할수록 교육 환경이 좋을 수는 있어요. 하지만 아무 의지도 노력도 하지 않는 사람이 이 지식을 얻을 수는 없습니다. 지식은 자발적으로 배우려는 의지가 있을 때 가질 수 있는 자산이에요. 우리가 로또 당첨을 원하거나 코인이 대박 나면 좋겠다고 생각하는 것처럼 지식에 대한 갈망이 있어야만 지식을 가질 수 있어요. 필요성을 못 느낀다면 이것을 가질 수 없을 겁니다. 더 이상 우리는 정보가 부족하다는 말을 할 수 없는 시대에 살고 있습니다. 어마어마한 정보가 인터넷에 노출되어 있기 때문이죠.

따라서 가장 중요한 것은 어떤 정보를 흡수하고 싶은지 어떤 정보를 소화하고 배설할 것인지를 확실하게 하는 겁니다. 이것을 저는 '지식의 신진대사'라고 말해요. 세상을 바라볼 때 호기심을 가지고 모든 것에서 배우며 배운 지식과 경험을 정리하고 공유하고 피드백까지 하는 것 이것이 바로 '지식의 신진대사'를 제대로 하는 방법이에요. 만약 여러분들이 한 분야에서 정점을 찍고 싶다면 언제나 겸손한 마음과 함께 배우고 지식을 얻기 위해서 노력해야 합니다. 그 지식은 여러분들의 미래를 위한 아주 풍족한 자산이자 무기가 되어 줄 거예요.

두 번째, 고수들은 '학-습-관-행'이 네 가지 프로세스를 완벽히 거칩니다. 모든 것은 학에서부터 시작돼요. 무언가를 배우는 것부터 시작되죠. 공부라는 것은 되고 싶은 나의 모습 그리고 현재 나의 모습과의 갭을 채우는 행위라고 생각하시면 됩니다. 그래서 롤 모델을 정하는 건 정말로 중요해요. 만약에 영어를 능숙하게 하고 싶다면 영단어 문법 문장을 배우는 것부터 시작하는 겁니다.

무언가가 되기 위해서 책을 보고 인터넷 강의를 듣고 여기저기에서 정보를 얻기 위해서 쫓아다니는 행위 이것을 우리는 '학'이라고 합니다. 그다음은 '습'이예요. 배우는 것과 익히는 것은 완전히 다릅니다. 우리가 수영하는 법을 말이나 글로 배웠다고 하더라도 몸으로 연습하지 않는다면 수영을 할 줄 안다고 말할 수 없을 거예요. 결국 익히는 것은 다른 누군가가 대신해 줄 수 없습니다. 직접 하는 수밖에 없어요. 아무리 동기 부여 영상을 많이 보더라도 행동으로 옮기지 않는다면 그저 환상 같은 이야기에 불과하다고 느끼실 거예요. 그리고 속으로 이렇게 생각하실 겁니다. "역시 이딴 거 봐봐야 소용없어. 환상만 커지고 현실은 암울할 뿐이야." 이런 생각이 든다면 자문해 볼 필요가 있어요. 과연 내가 배운 것을 토대로 행동으로 옮겨본 적이나 있는지 말이죠. 행동이 없으면 결과가 없고 피드백할 것도 없고 성장도 없습니다. 현실 도피하지 마시고 그냥 부딪혀 보세요. 안 죽어요. 실수하셨으면 사과하시고 고쳐나가십시오. 완벽한 시작은 없습니다. 고수들도 마찬가지로 지식을 배웠으면 익히는 과정을 반드시 거칩니다. 반드시 거쳐요.

그다음 과정은 '관' 즉 몸에 배게 하는 과정이에요. 처음에는 모든 것이 낯설고 몸에 익지 않을 겁니다. 하지만 매일 꾸준히 하다 보면 눈을 감고도 하는 순간이 올 거예요. 뇌가 기억하는 것을 넘어서 몸이 기억하는 수준까지 끌어올려야 그제서야 진짜 지식이 될 겁니다. 마지막으로 '행'은 배우고 익히고 몸에 배게 한 지식을 실제로 활용하는 단계를 말해요. 배우기만 하고 쓰지 않는 지식은 배우지 않는 것만 못합니다. 예를 들어서 저자들의 글쓰기 노하우를 수집했다면 노하우의 공통점들을 정리하고 매일 일정 시간 노동자처럼 꾸준히 글을 써야 합니다. 좋은 글감이 떠오르건 말건 그 시간이 되면 무조건 책상에 앉아서 글쓰기 하는 과정을 거쳐보는 거예요. 아주 단순하지만 최고가 될 수 있는 가장 확실한 방법입니다. 한 분야의 정점에 이른 사람들은 이 '학-습-관-행' 4가지 프로세스를 완전히 익힌 사람들이라는 것을 잊으면 안 돼요.

세 번째, 고수들은 가설을 세우고 검증하는 것을 반복합니다. 우리가 프로야구를 볼 때 게임을 해석해 주는 해설자가 있어요. 그리고 그들은 보통 이런 말을 합니다. 지금 안타를 치는 건 곤란합니다. 무리한 도루는 안 돼요. 이런 해설은 고수의 해설이라고 말할 수가 없습니다. 누구나 할 수 있는 너무 당연한 이야기이기 때문이죠. 진짜 고수는 일이 일어나기 전부터 예측을 합니다.

"볼이 가운데로 몰리는 것을 보니 안타를 내줄 가능성이 크네요. 폼이 흐트러지는 것을 보니 오늘 저 선수는 홈런을 기대하기 어려워 보입니다. 지금 상황에서 견제구를 던지지 않으면 도루를 허용할 겁니다." 등등 무언가 일이 벌어지기 전부터 경고하고 일반인이 보지 못하는 걸 볼 줄 아는 것이 진짜 고수의 해설이에요.

2002년 월드컵 4강 신화의 주역 히딩크 감독은 바로 대표적인 전문가입니다. "한국 축구는 정신력과 체력은 좋지만 골 결정력이 부족하다."라는 막연한 분석 대신 그는 전략적으로 새로운 분석법을 제시했습니다.

프랑스, 이탈리아의 일류 선수가 100이라면 한국 축구는 힘과 지구력 50, 기술 80, 스피드 80, 자신감 60, 국가와 축구에 대한 사명감 99, 이런 식으로 평가한 거죠. 이런 분석을 바탕으로 히딩크는 체력의 중요성을 강조했고 체력 훈련에 집중했어요. 하지만 월드컵이 얼마 남지도 않았는데 한가하게 체력 훈련이나 한다는 우려를 피할 수는 없었습니다.

그럼에도 불구하고 그는 전문가다운 분석을 통해서 결국 좋은 성과를 거둘 수 있었어요. 그는 축구 선수 시절에 일류 선수 출신은 아니었어요. 하지만 그렇다고 해서 전문가가 될 수 없는 것은 아닙니다. 그는 실전 경험을 통해서 엄청 많은 연구를 해왔고, 날카로운 눈을 가지기 위해서 열심히 배웠습니다. 전문가가 되기 위해서는 가설과 관찰이 필수예요. 스포츠 전문가가 되고 싶은 사람은 경기를 볼 때 별생각 없이 보는 게 아니라 계속 추측하면 볼 겁니다. 추측이 틀리면 가설을 다시 세우고 다시 관찰합니다. 이런 반복된 가설과 관찰을 거친 것은 이론이 되죠. 전문가가 되기 위해선 경험이 필요하지만 아무 생각 없는 경험은 한계가 있어요. 추측이 없으면 뛰어난 관찰도, 독창적인 관찰도 없을 거예요.

네 번째, 아이디어는 짜는 것이 아니라 흘러넘치는 것이다. 사람들은 아이디어를 짜내는 것이라고 생각하지만 고수들은 진짜 아이디어와 창의성이 압도적인 지식의 축적에서 나온다는 사실을 알고 있습니다. 그들은 창의성을 짜내는 게 아니라 흘러넘치게 하는 것이라고 말해요. 가장 먼저 해야 하는 것은 정보의 원천을 깊게 탐구하는 겁니다. 그리고 나서 이 정보를 가공하는 과정이 필요해요. 좋은 방법 중에 하나는 어떤 사건에 대해서 시간에 따른 변화를 관찰해 보는 거죠.

만약 여러분들이 워터파크를 운영한다면 날씨와 매출을 함께 관찰해 볼 수 있을 겁니다. 여름에 비가 너무 많이 오면 매출이 줄어들거나 하는 등의 날씨에 따른 매출의 변화가 있을 것이며, 이들의 상관관계를 찾아보는 거죠. 이런 단순한 예시 외에도 월별로 자료를 만들다 보면 규칙을 찾게 되고, 이를 통해서 미래 예측을 할 수 있으며, 어떤 현상에 대한 통제가 가능해집니다. 또한 혁신을 위해서는 역발상도 필요해요.

1994년 9월 에스토니아에서 여객선이 전복되는 사고가 있었습니다. 95명이 사망하고 757명이 실종되는 아주 참혹한 사고였어요. 이 사고의 원인은 배가 무게 중심을 잃는 것이었습니다. 거친 파도로 인해서 갑판에 실린 자동차가 한쪽으로 쏠렸고, 이 때문에 무게 중심을 잃고 전복되었던 것이었죠. 선박회사는 재발 방지를 고민했고 갑판에 구멍을 뚫는 아이디어를 냈어요. 해수가 이 구멍을 통해서 밑바닥으로 흘러 들어오면 배의 밑바닥을 무겁게 해주기 때문에 무게 중심을 잡기 쉬울 것이라는 아이디어였죠. 그들은 피해만 준다고 생각한 해수를 역으로 이용한 것이었고, 이것은 기존의 생각에 대한 역발상의 예시라고 볼 수 있죠. 뉴턴은 사과가 나무에서 땅으로 떨어지는 게 아니라 지구가 사과를 당긴다고 생각했고, 이 역발상을 통해서 만유인력의 법칙을 발견했습니다.

고수들은 먼저 정보의 원천에 접근하고 그 정보를 시간 순서로 혹은 역으로 생각해 보는 것을 잘합니다. 정점에 오르는 사람은 이렇게 끊임없이 배우고 생각하고 적용하는 것을 습관화한 사람들이에요.

다섯 번째, 직이 아닌 업에 대해 정의한다. 사람들은 말해요. "직업이 적성에 맞지 않아요. 직업 선택을 잘못 선택한 것 같습니다."라고 말이죠. 이런 생각이 드는 이유는 뭘까요? 그것은 직이 아닌 업을 제대로 정의하지 못했기 때문이에요. 업을 제대로 정의한 기업에는 '풀무원'이 있습니다.

풀무원은 처음에 두부와 콩나물을 파는 회사로 유명했어요. 하지만 풀무원은 더 이상 두부와 콩나물을 파는 회사가 아닌 정직과 신뢰를 파는 회사가 되었습니다. 사람들은 풀무원의 두부와 콩나물을 사지만 알게 모르게 고객들의 인식 속에는 풀무원은 제품이 다소 비싸더라도 맛있고 건강한 식품을 파는 회사라는 생각이 있어요. 고객들은 풀무원 제품이 믿을 만하다고 생각하기 때문에 풀무원의 제품을 구매하는 겁니다.

유한킴벌리는 어떨까요? 유한킴벌리는 단순히 티슈와 기저귀를 파는 기업이 아니라 윤리와 환경 철학을 파는 회사에요. 유한킴벌리 고객은 친환경 제품에 더 열광하고 신뢰하게 됩니다. 이렇게 업을 생각하다 보면 세상이 다르게 보일 거예요. 보험 회사는 보험 서류가 아니라 안심을, 술집은 그냥 음식과 술이 아니라 즐거움과 편안함을 파는 곳이에요. 만약 호텔을 운영하는데 단순히

'요식' 아니면 '숙박업'으로만 정의한다면 하는 일은 단순해질 겁니다. 방 청소, 조식, 메뉴 개발 딱 이 정도일 거예요. 하지만 만약 '추억 재생업'이라고 정의한다면 어떨까요? 유명한 배우가 묵었던 방 또는 유명한 가수가 즐겨 찾던 메뉴 이런 식으로 말이죠. 고객은 서비스 그 이상의 가치를 느끼게 될 거예요. 꼭 기업이 아닌 개인일지라도 자신의 업에 대해서 정의를 내릴 수 있어야 합니다.

첫 번째, 지식을 자산으로 생각한다.
두 번째, '학-습-관-행' 네 가지 프로세스를 완벽히 거친다.
세 번째, 가설을 세우고 검증하는 것을 반복한다.
네 번째, 아이디어는 짜는 것이 아니라 흘러넘치는 것이다.
다섯 번째, 직이 아닌 업에 대해서 정의한다.

"이 다섯가지 법칙들을 기억하시고 가장 자신 있는 분야를 만들어 나간다면 성공에 조금 더 빠르게 다다를 수 있지 않을까!" 라는 생각을 해봤어요. 저는 성공 최적화 컨설턴트라는 타이틀을 만들었고 각자가 성공으로 가는 길에서 더 이상 헤매지 않도록 돕는 일을 하기로 결정했습니다. 여러분들은 어떤 분야의 전문가가 되고 싶으신가요? 그리고 여러분들의 업은 무엇입니까? 오늘의 영상은 윌라 오디오북 《고수의 학습법》이라는 책을 듣고 영감을 받아서 제작했습니다.

<유튜브 동기부여학과 : 매일 듣는 성공 마인드 셋>

고수의 태도 5가지 방법을 들어 보니 어떤가? 쉬워 보이는가? 어려워 보이는가? 90%의 사람들은 어려워한다. 왜 어려운지 아는가? 고수의 태도 5가지 방법, 공식은 결과다.

고수의 태도 5가지 방법, 공식이 만들어지기 까지 과정은 어떨까? 당사자가 아닌 이상 알 수가 없고 상상도 안 되지만 단언컨대 어마어마한 시행착오, 대가 지불, 인고의 시간들의 누적으로 만들어 진 결과이기 때문에 방법, 공식만 보고 자신에게 접목해서 하려고 하니 어렵고 힘든 것이다.

유명한 사람 태도, 고수의 태도를 따라하기 힘들다면 유명하지 않은 평범한 일반인과 같은 필자(최보규 방탄동기부여 전문가)의 Body(몸)태도, Head(머리)태도, Mind(마음)태도 학습, 연습, 훈련 하는 방법 320가지를 참고해서 나답게 만들어 가라!

1. 전신 장기기증
2. 유서 써놓기
3. 꿈 목표 설정
4. 영양제 챙기기
5. 꿀 챙기기
6. 계단 이용
7. 8시간 숙면
8. 취침 4시간 전 안 먹기
9. 기상 후, 자기 전 스트레칭 10분
10. 술, 담배 안 하기
11. 하루 운동 30분
12. 밀가루 기름진 음식 줄이기
13. 자극적인 음식 줄이기
14. 얼굴 눈 스트레칭
15. 박장대소 하루 2회
16. 기상 직후 양치질 물먹기
17. 물 7잔 마시기
18. 밥 먹는 중 물 조금만
19. 국물 줄이기
20. 밥 먹고 30후 커피 마시기

21. 기상 직후 책 들기

22. 한 달 책 15권 보기

23. 책 메모하기

24. 메모 ppt 만들기

25. SNS 캡처 자료수집

26. 강의 자료 항상 찾기

27. 좋은 글 점심때 보내기

28. 사랑의 전화 봉사

29. 주말 유치원 봉사

30. 지인 상담봉사

31. 강의 재능기부

32. 사랑의 전화 후원

33. 강의자료 주기

34. TV 줄이기

35. 부정적인 뉴스 줄이기

36. 솔선수범하기

37. 지인들 선물 챙기기

38. 한 달 한번 등산

39. 몸에 무리 가는 행동 안 하기

40. 하루 감사 기도 마무리

41. 탄산음료, 과일주스 줄이기

42. 아침 유산균 챙기기

43. 고자세

44. 스마트폰 소독 2번

45. 게임 안 하기

46. SNS 도움 되는 것 공유

47. 전단지 받기

48. 긍정, 멘탈 사용설명서 도구 스티커 나눠주기

49. 학습자 선물 주기

50. 강의 피드백 해주기

51. 자일리톨 원석 먹기 하루 3개

52. 찬물 줄이고 물 미온수 먹기

53. 소금물 가글

54. 알람 듣고 바로 일어나기

55. 오전 10시 이후 커피 먹기

56. 믹스커피 안 먹기

57. 강의 족보 주기

58. 강의 동영상 주기

59. 강의 녹음파일 주기

60. 블로그 좋은 글 나누기

61. 인스턴트 음식 줄이기

62. 아이스크림 줄이기

63. 빨리 걷기

64. 배워서 남 주자 실천(PPT)

65. 읽어서 남 주자 실천(책 속의 글)

66. 오른손으로 차 문 열기

67. 오손도손 오손 왼손 캠페인 전파하기

68. 운전 중 스마트폰 안 보기

69. 취침 전 30분 독서

70. 취침 전 30분 스마트폰 안 보기

71. 오늘이 마지막인 것처럼 섬기고 영원히 살 것처럼 배우기

72. 자존심 신발장에 넣어 두고 나오기

73. 내가 받은 상처는 모래에 새기고 내가 받은 은혜는 대리석에 새기기

74. 어제의 나와 비교하기

75. 어제 보다 0.1% 성장하기

76. 세상에서 가장 중요한 스펙? 건강, 태도 실천하기

77. 나방이 되지 않기

78. 마라톤 10주 프로그램 시작

79. 마라톤 5km 도전

80. 마라톤 10km 도전

81. 마라톤 하프 도전

82. 마라톤 풀코스 도전

83. 자기 전 5분 명상

84. 뱃살 스트레칭 3분

85. 아침 동기부여 사진 보내기 8시

86. 저녁 동기부여 사진 보내기 9시

87. 나의 1%는 누군가에게는 100%가 될 수 있다. 실천

88. 150세까지 지금 몸매, 몸 상태 유지 관리

89. 아침 달걀 먹기

90. 운동 후 달걀 먹기

91. 헬스장 등록

92. 오래 살기 위해서가 아니라 옳게 살기 위해 노력하
    는 사람이 되자

93. 남들이 하는 거 안 하기 남들이 안 하는 거 하기

94. 아침 결명자차 마시기

95. 저녁 결명자차 마시기

96. 폼롤러 스트레칭

97. 어제보다 나은 내가 되자

98. 남들이 안 하는 강의 분야 도전

99. 플랭크 운동

100. 스쿼터 운동

101. 계산할 때 양손으로 주고받고 인사

102. 명함 거울 선물 주기

103. 40살 되기 전 책 출간

104. 반 100년 되기 전 책 5권 집필하기

105. 유튜브[나다운TV] 강사심폐소생술

106. 유튜브[나다운TV] 나다운심폐소생술

107. 아.원.때.시.후.성.실 말 줄이기

108. 나다운 강사 책 유튜브 올려 함께 잘 되기

109. 리플렛으로 동기부여 시켜주기

110. 아침 8시 동기부여 메시지 만들어 보내기

111. 저녁 9시 동기부여 메시지 만들어 보내기

112. 어플 책 속의 한 줄에 책 내용 올리기

113. 책 내용 SNS 오픈

114. 3번째 책 원고 작업 시작

115. 4번째 책 자료수집

116. 뱃살관리 스트레칭 아침, 저녁 5분

117. 3번째 책 기획출판계약

118. 최보규강사사관학교 시작

119. 최보규강사사관학교 지회 원장 임명

120. 올 노(올바른 노력)공식 오픈

121. 행복, 방탄멘탈 공식 자자자자멘습긍 오픈

122. 생화 네 잎 클로버 선물 주기

123. 세바시를 통해 극단적인선택 예방 전파!

124. 세바시를 통해 자자자자멘습긍 사용설명서 전파!

125. 4번째 책 원고 시작 2021년 1월 출간 목표!

126. 전염성이 강한 상황 왔을 때 대처하기 위한 준비!

127. 코로나19 극복을 위한 공적 마스크 독고 어르신들 주기!

128. 아내를 위해 앉아서 소변보기

129. 들어라 하지 말고 듣게 하자

130. 좋은 사람이 되지 말고 좋은 사람 되어주자.

131. 좋아하게 하지 말고 좋아지게 하자

132. 보여주는(인기)인생을 사는 것보다 보여지는(인정)인생을 살아가자.

133. 나 이런 사람이야 말하지 않아도 이런 사람이구나 느끼게 하자.

134. 마음을 얻으려 하지 말고 마음을 열게 하자.

135. 믿으라 하지 말고 믿게 하자

136. 나에 행복 0순위는 아내의 행복이다! 일어나서 자기 전까지 모든 것 아내에게 집중!

137. 아내 말을 잘 듣자! 하는 일이 잘 된다!

138. 아버지가 어머니에게 이렇게 대했으면 하는 남편이 되겠습니다. 매형들이 누나들에게 이렇게 대했으면 하는 남편이 되겠습니다.

139. 내 몸은 아내거다. 빌려 쓰는 거다! 담배, 술, 몸에 무리가 가는 모든 것 자제 하고 건강관리, 자기관리 하겠습니다.

140. 아내의 은혜를 보답하기 위해 머리, 가슴, 몸, 돈으로 실천하겠습니다!

141. 아내에게 받은 사랑(내조) 보답하기 위해 머리, 가슴, 몸, 돈으로 실천하겠습니다.

142. 아내를 몸, 마음, 돈으로 평생 웃게 해서 호강시켜 주겠습니다.

143. 아내를 존경하겠습니다. 세상에 아내 같은 여자 없습니다.

144. 아내 빼고는 모든 여자는 공룡이다! 정신으로 살겠습니다.

145. 많은 사람들에게 인정받는 남편이 아닌 아내에게 인정받는 남편이 되기 위해 먼저 맞춰가는 남편이 되겠습니다.

146. 아내에게 무조건 지겠습니다.
이기려 하지 않겠습니다. 아내 앞에서는 나직성자체를 내려놓겠습니다. (나이, 직급, 성별, 자존심, 체면)

147. 지저분한 것(음식물 쓰레기, 화장실 청소)다 하겠습니다.

148. 함께하는 한 가지를 위해 개인 생활 10가지를 감수하겠습니다.

149. 최강자 학습지 시작 (최보규의 강사학습지, 자기계발학습지)

150. 홈코 시작(집에서 화상 1:1 케어)

151. 불자의 인생 시작

152. 나는 복덩어리다. 나는 운이 좋은 사람이다.

153. 베스트셀러 3권 달성 노하우 책쓰기 교육 시작

154. 유튜브, 유튜버 100년 하는 노하우 교육 시작

155. 방탄멘탈마스터 양성 시작

156. 나다운 방탄멘탈 책으로 극단적인 선택 줄이기

157. 아침 8시, 저녁 9시 방탄멘탈공식 SNS 공유

158. 5번째 책 2022년 나다운 방탄사랑

159. 2023 나다운 방탄멘탈 2

160. 2024 나다운 책 쓰기(100년 가는 책)

161. 2025 유튜버가 아니라 나튜버

    (100년 가는 나튜버)

162. 2026 나다운 강사3(Q&A)

163. 2027 나다운 명언

164. 2029 나다운 인생(50살 자서전)

165. 줌 화상 기법 강의, 코칭(최보규줌사관학교)

166. 언택트(비대면)시대에 맞게 아날로그 방식 80%를
    디지털 방식 80%로 체인지

167. 변기 뚜껑 닫고 물 내리기

168. 빨래개기

169. 요리하기, 요리책 내기 위한 자료 수집

170. 화장실 물기 제거

171. 부엌 청소, 집 청소, 화장실 청소

172. 사랑해 100번 표현하기

173. 아내에게 하루 마무리 안마 5분 해주기

174. 헌혈 2달에 1번

175. 헌혈증 기부

176. 네 번째 책 행복 히어로 책 출간

177. 극단적인 선택률, 이혼율 낮추기 위한 교육 시작

178. 행복률 높이기 위한 교육 시작

179. 다섯 번째 책 원고 작업 시작

180. 여섯 번째 책 자료 수집

181. 운전 중 양보 해 줄 때, 받을 때 목례로 인사하기.

182. 다섯 번째 책 나다운 방탄습관블록 출간

183. 습관사관학교 시스템 완성

184. 습관 코칭, 교육 시작

185. 아침 8시, 저녁 9시 습관 메시지 sns 공유

186. 습관 전문가 되어 무료 케어 상담 시작

187. 습관 콘텐츠 유튜브<행복히어로>에 무료 오픈

188. 여섯 번째 책 원고 작업 시작

189. 최보규상(대한민국 노벨상) 버킷리스트 설정

190. 2037년까지 운영진, 자금(상금), 시스템 완성 목표
     설정

191. 최보규상을 1,000년 동안 유지하기 위한 공부

192. 일곱 번째 자존감 책 원고 작업

193. 여덟 번째 책 쓰기 책 자료 수집, 공부

194. 앉아서 일할 때 50분의 한번 건강 타이머 누르기

195. 세계 최초 자기계발쇼핑몰
     (www.자기계발아마존.com)

196. 온라인 건물주 분양 시작
     (월세, 연금성 소득 올릴 수 있는 시스템)

197. 일곱, 여덟 번째 책 축간
     (나다운 방탄자존감 명언 Ⅰ,Ⅱ)

198. 자기계발코칭전문가 1급, 2급 자격증 교육 시작

199. 방탄자기계발사관학교 Ⅰ,Ⅱ,Ⅲ,Ⅳ 4권 출간

200. 2021년 목표였던 9권 책 출간 달성!

201. 하루 3번 호흡 스펙 습관 쌓기 시작
    (코 8초 마시고, 5초 멈추고, 입으로 8초 내뱉기)

202. 장모님께 출간 한 책 12권 드리기

203. 2022년 최보규의 책 쓰기9 원고 작업 시작

204. 100만 프리랜서들 도움주기 위한 프로젝트 시작

205. 방탄 자존감 코칭 기술

206. 방탄 자신감 코칭 기술

207. 방탄 자기관리 코칭 기술

208. 방탄 자기계발 코칭 기술

209. 방탄 멘탈 코칭 기술

210. 방탄 습관 코칭 기술

211. 방탄 긍정 코칭 기술

212. 방탄 행복 코칭 기술

213. 방탄 동기부여 코칭 기술

214. 방탄 정신교육 코칭 기술

215. 꿈 코칭 기술

216. 목표 코칭 기술

217. 방탄 강사 코칭 기술

218. 방탄 강의 코칭 기술

219. 파워포인트 코칭 기술

220. 강사 트레이닝 코칭 기술

221. 강사 스킬UP 코칭 기술

222. 강사 인성, 멘탈 코칭 기술

223. 강사 습관 코칭 기술

224. 강사 자기계발 코칭 기술

225. 강사 자기관리 코칭 기술

226. 강사 양성 코칭 기술

227. 강사 양성 과정 코칭 기술

228. 퍼스널브랜딩 코칭 기술

229. 방탄 리더십 코칭 기술

230. 방탄 인간관계 코칭 기술

231. 방탄 인성 코칭 기술

232. 방탄 사랑 코칭 기술

233. 스트레스 해소 코칭 기술

234. 힐링, 웃음, FUN 코칭 기술

235. 마인드컨트롤 코칭 기술

236. 사명감 코칭 기술

237. 신념, 열정 코칭 기술

238. 팀워크 코칭 기술

239. 협동, 협업 코칭 기술

240. 버킷리스트 코칭 기술

241. 종이책 쓰기 코칭 기술

242. PDF 책 쓰기 코칭 기술

243. PPT로 책 출간 코칭 기술

244. 자격증 교육 커리큘럼으로 책 출간 코칭 기술

245. 자격증 교육 커리큘럼으로 영상 제작 코칭 기술

246. 책으로 디지털콘텐츠 제작 코칭 기술

247. 책으로 온라인 콘텐츠 제작 코칭 기술

248. 책으로 네이버 인물 등록 코칭 기술

249. 책으로 강의 교안 제작 코칭 기술

250. 책으로 민간 자격증 만드는 코칭 기술

251. 책으로 자격증 과정 8시간 제작 코칭 기술

252. 책으로 유튜브 콘텐츠 제작 코칭 기술

253. 유튜브 시작 코칭 기술

254. 유튜브 자존감 코칭 기술

255. 유튜브 멘탈 코칭 기술

256. 유튜브 습관 코칭 기술

257. 유튜브 목표, 방향 코칭 기술

258. 유튜브 동기부여 코칭 기술

259. 유튜브가 아닌 나튜브 코칭 기술

260. 유튜브 영상 제작 코칭 기술

261. 유튜브 영상 편집 코칭 기술

262. 유튜브 울렁증 극복 코칭 기술

263. 유튜브 썸네일 디자인 제작 코칭 기술

264. 유튜브 콘텐츠 제작 코칭 기술

265. 유튜브 수입 연결 제작 코칭 기술

266. 유튜브 영상 홍보 코칭 기술

267. 홈페이지 무인시스템 연결 제작 코칭 기술

268. 홈페이지 자동 결제 시스템 제작 코칭 기술

269. 홈페이지 비메오 연결 제작 코칭 기술

270. 홈페이지 렌탈 시스템 제작 코칭 기술

271. 홈페이지 디자인 제작 코칭 기술

272. 홈페이지 제작 코칭 기술

273. 재능마켓 크몽 PDF 입점 코칭 기술

274. 재능마켓 크몽 강의 입점 코칭 기술

275. 재능마켓 크몽 이미지 디자인 제작 코칭 기술

276. 재능마켓 크몽 입점 영상 제작 코칭 기술

277. 재능마켓 크몽 입점 영상 편집 코칭 기술

278. 재능마켓 크몽 VOD 입점 코칭 기술

279. 클래스101 영상 입점 코칭 기술

280. 클래스101 PDF 입점 코칭 기술

281. 클래스101 이미지 디자인 제작 코칭 기술

282. 클래스101 영상 제작 코칭 기술

283. 클래스101 영상 편집 코칭 기술

284. 탈잉 영상 입점 코칭 기술

285. 탈잉 PDF 입점 코칭 기술

286. 탈잉 이미지 디자인 제작 코칭 기술

287. 탈잉 영상 제작 코칭 기술

288. 탈잉영상 편집 코칭 기술

289. 탈잉 VOD 입점 코칭 기술

290. 클래스U 영상 입점 코칭 기술

291. 클래스U 영상 제작 코칭 기술

292. 클래스U 영상 편집 코칭 기술

293. 클래스U 이미지 디자인 제작 코칭 기술

294. 클래스U 커리큘럼 제작 코칭 기술

295. 인클 입점 코칭 기술

296. 자신 분야 콘텐츠 제작 코칭 기술

297. 자신 분야 콘텐츠 컨설팅 코칭 기술

298. 자기계발코칭전문가 1시간 ~ 1년 코칭 기술

299. 강사코칭전문가, 리더십코칭전문가 1시간 ~ 1년 코칭 기술

300. 온라인 건물주 되는 코칭 기술

301. 강사 1:1 코칭기법 코칭 기술

302. 전문 분야 있는 사람 1:1 코칭 기법 코칭 기술

303. CEO, 대표, 리더, 협회장 품위유지의무 코칭 기술

304. 은퇴 준비 코칭 기술

305. 2023년 나다운 방탄리더십 1, 2, 3, 4, 5 출간

306. 나다운 방탄리더십 아침, 저녁 메시지 시작

307. 강사코칭전문가 자격증 시스템 시작

308. 방탄 리더십 원고 작업 시작

309. 방탄 리더 자존감 원고 작업 시작

310. 방탄 리더 멘탈 원고 작업 시작

311. 방탄 리더 습관 원고 작업 시작
312. 방탄 리더 행복 원고 작업 시작
313. 방탄 리더 자기계발 원고 작업 시작
314. 방탄 리더 코칭 원고 작업 시작
315. 마트에서 구입한 물건들 바코드 정렬해서 올리기
316. 장모님 머리 염색해 주기
317. 처남 금연, 금주 도와주기
318. 한 해 시작할 때 습관 영상 업로드
319. 결혼기념일 뺏지, 명찰 제작
320. 뒤꿈치 들기 운동 시작

작은 일도 무시하지 않고 최선을 다해야 한다.
작은 일에도 최선을 다하면 정성스럽게 된다.
정성스럽게 되면 겉에 배어 나오고
겉에 배어 나오면 겉으로 드러나고
겉으로 드러나면 이내 밝아지고
밝아지면 남을 감동시키고
남을 감동시키면 이내 변하게 되고 변하면 생육 된다.
그러니 오직 세상에서 지극히 정성을 다하는 사람만이
나와 세상을 변하게 할 수 있는 것이다.
<중용 23장>

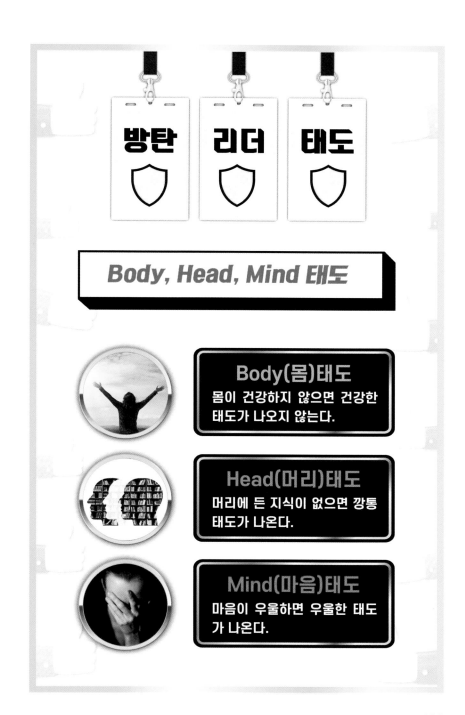

방탄 리더 태도

Body, Head, Mind 태도

Body(몸)태도
몸이 건강하지 않으면 건강한 태도가 나오지 않는다.

Head(머리)태도
머리에 든 지식이 없으면 깡통 태도가 나온다.

Mind(마음)태도
마음이 우울하면 우울한 태도가 나온다.

**최보규 리더태도 코칭전문가의
Body, Head, Mind태도
학습, 연습, 훈련 하는 방법 320가지!**

Body(몸)태도
**학습, 연습, 훈련 하는 방법
320가지!**

Head(머리)태도
**학습, 연습, 훈련 하는 방법
320가지!**

Mind(마음)태도
**학습, 연습, 훈련 하는 방법
320가지!**

어떤가? 고수의 태도가 쉬운가? 필자의 태도가 쉬운가? 20,000명 심리 상담, 코칭 하면서 알게 된 것은 고수의 태도 5가지, 필자의 Body(몸)태도, Head(머리)태도, Mind(마음)태도 320가지 학습, 연습, 훈련하는 방법, 공식보다 먼저 선행해야 할 것은 방탄 리더 태도 7단계(리더 태도 본질, 리더 태도 자존감, 리더 태도 멘탈, 리더 태도 습관, 리더 태도 행복, 리더 태도 자기계발, 리더 태도 코칭)을 먼저 학습, 연습, 훈련해야지만 태도의 기본기가 만들어져서 나다운 태도를 만들어 갈 수 있다는 것이다.

고수들은 100% 자기다움, 나다움이 있다. 고수가 돼서 태도가 좋은 것이 아니라 태도가 좋아서 고수가 된 것이다. 한마디로 방탄 리더 태도 7단계를 학습, 연습, 훈련을 하면 고수의 태도 5가지 방법을 나다운 태도와 접목을 시켜서 강력한 태도 스펙을 만들 수 있다. 자신 분야에서 나다운 태도가 나올 때 세상에서 가장 강력한 태도 스펙이 되는 것이다. 강력한 태도 스펙은 말, 표정, 행동에서 나온다.

4차 산업 시대에 맞는 4차 리더 태도인 방탄 리더 태도 7단계(리더 태도 본질, 리더 태도 자존감, 리더 태도 멘탈, 리더 태도 습관, 리더 태도 행복, 리더 태도 자기계발, 리더 태도 코칭)시스템 학습, 연습, 훈련을 통해 리더 자신 분야 삼성(진정성, 전문성, 신뢰성)을 높여 제2수입, 제3수입까지 올릴 수 있는 리더 태도 자기계발로 리더 자신, 가족, 팀원, 조직체원들을 끊고 가는 리더가 아니라 끊어가는 리더가 되자.

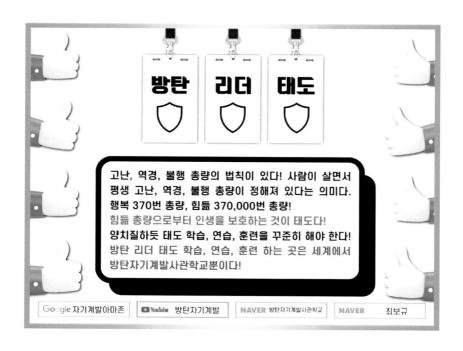

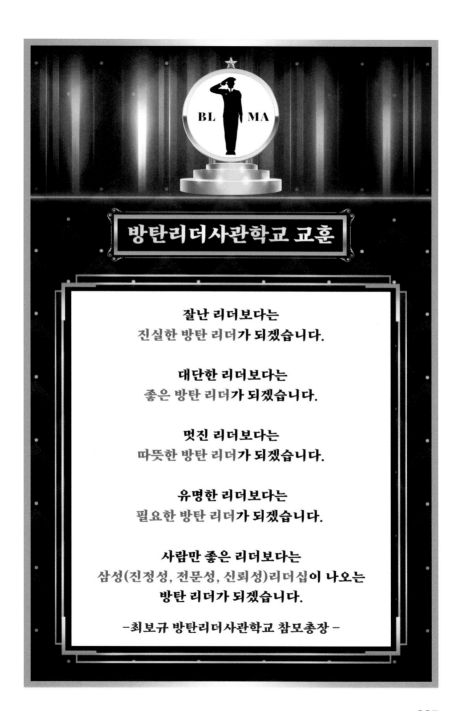

방탄리더사관학교 교훈

잘난 리더보다는
진실한 방탄 리더가 되겠습니다.

대단한 리더보다는
좋은 방탄 리더가 되겠습니다.

멋진 리더보다는
따뜻한 방탄 리더가 되겠습니다.

유명한 리더보다는
필요한 방탄 리더가 되겠습니다.

사람만 좋은 리더보다는
삼성(진정성, 전문성, 신뢰성)리더십이 나오는
방탄 리더가 되겠습니다.

-최보규 방탄리더사관학교 참모총장-

Class 5. 리더십 식스팩(PT)과

- 숨만 쉬어도 근손실(근육 손실), 숨만 쉬어도 리손실 (리더십 손실) 앞서가는 리더는 리더십PT를 받는다.

★ 리더십 식스팩 고.틀.선.편 깨기! 식스팩 고.틀.선.편 깨기! (고정관념, 틀, 선입견, 편견)

식스팩은 근육이다. 식스팩을 제대로 알기 위해서는 근육에 대해서 알아야 한다. 다음은 근육이 왜 중요한지 깨닫게 해주는 내용이다.

근육이 중요한 이유! 명의가 알려주는 근감소증!
근감소증이란?
우리 몸은 크게 뼈와 근육으로 돼 있다. 그중 근육은 우리 몸무게의 약 50%를 차지하고 있으며 팔다리, 얼굴, 배와 등에 분포해 있습니다.
근육은 질긴 힘줄로 뼈와 연결되어 있어서 근육이 오무라들면 뼈를 잡아당기고 늘어나면 뼈를 놓기 때문에 우리가 걷거나 팔을 움직일 수 있는 것이죠. 주로 뼈를 움직이기 때문에 골격근이라고도 합니다.

각 부위의 이름을 살펴보면 가슴 앞에는 대흉근, 몸통을 감싸는 광배근, 배를 받쳐주는 복근, 엉덩이 근육인 둔근, 우리 몸의 가장 큰 근육인 대퇴근, 종아리는 비복근이라 부릅니다. 그런데 노화가 시작되면 여러 원인으로 근육이 감소합니다.

기운이 없고 걷는 속도가 느려지고 자주 넘어지는 증상이 주로 나타나게 되는데 이를 근감소증이라는 질병으로 부릅니다.

▷ 임재영 교수(재활의학과 전문의): 근육이 감소하는 이유는 만 가지라고 할 정도로 정말 많고 다양하거든요. 우선 노화 그 자체로 근육은 조금씩 감소하고 또 세포의 기능도 점차 떨어지고 감퇴합니다.
계속 근육은 분해가 되고 재생 또는 합성이 돼야 되는데 특히 나이가 들면서 재생을 담당하는 그런 세포들도 기능이 좀 떨어지고요. 또 노화가 되면 근육의 근섬유의 일부는 또 소멸 또는 없어지기도 합니다. 또한 나이가 듦에 따라서 많은 분들이 여러 가지 만성질환을 갖게 되거든요. 대표적으로 당뇨, 골다공증, 관절염 등등 이런 만성질환이 있으면 그 만성질환이 또 그 자체로 근감소증하고 연관이 있습니다. 이러한 이유로 근감소증이 일어난다고 보면 되겠습니다.

30대 팔 근육 단면을 보면 좌측처럼 근육으로 꽉 차 있는데요. 노화가 진행되면서 서서히 근육이 줄어들어 근육은 작아지고 지방이 더 많아지게 됩니다. 근육은 근육 섬유 다발로 돼 있고 근육 섬유 다발은 무수히 많은 근육 섬유로 이루어져 있는데요. 노화로 인해 재생되는 양보다 손상이 많아지면서 전체적인 근육의 양도 줄어들게 됩니다. 우리의 근육은 30대의 정점에 도달하게 되는데요. 그다음엔 한 해에 약 1 퍼센트씩 자연 감소해 80세가 되면 30대의 약 50 퍼센트만 남게 됩니다.

▷ 임재영 교수(재활의학과 전문의): 근력을 측정할 수 있는 간단한 방법이 악력계를 사용해서 손에 그 악력의 힘을 측정하는 겁니다. (근감소증 진단 기준 - 악력 측정 남자: 28kg 미만 / 여자: 18kg 미만)
손의 힘만 반영하는 게 아니라 우리 팔 전체 또 몸통의 힘을 반영을 하거든요. 그리고 또 손쉽게 측정할 수 있는 또 다른 방법은 종아리 둘레를 재는 거거든요.
(근감소증 진단 기준 - 종아리 둘레 측정 남자: 34cm 미만 / 여자: 33cm 미만)
종아리의 둘레는 종아리 근육의 크기를 측정하는 건데 종아리 둘레가 작아지는 것이 비단 그 하나의 근육만 작아지는 게 아니라 우리 몸 전체의 근육이 작아지는 거를 어느 정도 반영을 합니다. 그래서 종아리 둘레를 측정을 하면서 거기에서 줄어들면 근감소증을 의심할 수 있는 거죠.

근감소증은 크게 세 단계로 나눌 수 있는데요.
의심, 가능, 확진 단계입니다. 물건을 드는 힘이나 보행
능력, 의자에 앉고 설 때의 균형 감각, 낙상 경험 등이
있다면 근 감소를 의심하고 전문의를 찾아 진단을 받는
것이 좋습니다.

Q. 근감소증 가능 단계란 무엇인가요?
▷ 임재영 교수(재활의학과 전문의): 이 가능 단계는 상
당히 중요한 기로라고 할 수 있습니다.
근감소증으로 확진될 수도 있고 잘 관리를 하면은 근감
소증에서 해방될 수도 있는 거죠.
적절하게 관리를 하지 않으면 근감소증이 계속 진행을
합니다. 그래서 현재 수준보다 더 근육의 양이 줄어들면
좀 더 분명한 근감소증으로 더 확진이 될 수 있고 또
그러한 증상들이 점점 심해지면서 보행 걷는 것도 힘들
어지고 일상생활 수행 능력도 떨어지게 되고요.
또 만성질환을 갖고 있을 때 그 만성질환 관리가 또 제
대로 되지 않으니까 또 건강 수준 정도가 더 악화되는
그런 문제들을 겪게 되는 겁니다.

뇌혈관이 막히거나 좁아지는 뇌경색, 뇌혈관이 갑자기

파열되는 뇌출혈, 이런 뇌혈관 질환은 우리나라 사망률 3위의 질환입니다. 생존한다 해도 약 80퍼센트의 환자에서 평생 장애를 남기게 되는데요. 재활 단계에서 가장 조심해야 할 합병증 중 하나가 바로 근감소입니다.

▷ 백남종 교수(재활의학과 전문의): 뇌졸중이 생기면 잘 드시는 것도 시원치가 않고 또 뇌졸중 자체로 한 40% 이상에서 근감소증이 옵니다. 근감소증이 있으면 근육의 힘도 없어지고 근육 양도 없어지고 또 근육이 하는 역할을 잘 못하기 때문에 그 한계치를 조금만 내려가면 거동이 굉장히 불편해지시는 분들이 많고 그렇게 되면 이제 운동을 잘 못하니까 좋지 않은 길로 가게 되죠.

근감소증이 있을 때 악화되는 질환들이 있습니다. 낙상, 골절과 골감소 그리고 심혈관 질환과 뇌졸중 또 하나는 당뇨입니다. 특히 근육은 혈당 조절의 기능이 있다는 것을 기억해야 합니다.

▷ 장학철 교수(내분비대사 내과전문의): 우리가 음식물을 먹으면 당이 흡수가 되잖아요.
그 당이 우리 몸에서 잘 이용되어야 하는데 당의 50%는 근육이 이용하거든요. 그러니까 근육이 많거나 근육을 잘 활용하는 것 즉 운동을 잘 하면 근육을 통해서

당을 잘 이용하게 되니까 혈당 조절이 훨씬 더 쉬워지는 거죠.

척추를 지지하는 대표 근육은 척추 양쪽의 기립근인데요. 이 근육은 허리를 탄탄하게 받쳐주고 몸의 중심을 잡아줍니다. 그런데 노화가 진행되면서 이 근육이 점점 줄어들면 척추 디스크가 손상을 받아 허리가 약해지고 통증도 나타납니다. 더 진행되면 허리가 굽게 되고 보행이 불안정해지며 쉽게 넘어져 골절 사고를 많이 당하게 되는데요. 이렇게 낙상할 경우 주로 척추 압박골절, 엉덩이 관절 골절, 손목 골절 등이 많이 발생합니다.

우리 몸을 지탱하고 노화를 막는 중요한 근육이 있습니다. 대표적인 근육으로는 척추 기립근, 둔근, 대퇴사두근이 있는데요. 특히 엉덩이를 감싸는 둔근과 허벅지의 대퇴사두근은 우리 몸 전체 근육의 3분의 2를 차지할 만큼 크고 중요합니다. 이 근육이 약해지면 무릎 관절에 무리가 많이 가고 걸음이 불안정해지며, 그로 인해 골관절염도 더 빨리 진행됩니다. 척추 기립근은 척추의 중앙 근육으로 신체를 곧게 세우는 등근육입니다.

그런데 이 근육이 약해지면 구부정한 자세가 되면서 혈액순환에도 문제가 생기게 됩니다. 서고 걷는 일상이 회복되려면 이 근육들이 튼튼하게 받쳐줘야 합니다.

▷ 임재영 교수(재활의학과 전문의): 이 근육들이 일단 크기가 큽니다. 대근육이라고 보통 얘기하거든요. 우리 몸에 이제 근육량을 또 많이 차지하고 있는 근육이 되겠고, 또 중력을 이기는 데 중요한 역할을 하는 근육이 되겠고 또 이동이라든지 걷는 것에서도 중요한 역할을 하고 있기 때문에 근감소증을 예방하거나 또 건강 수명을 연장하고자 할 때는 이 세 가지 근육을 잘 유지하는 것이 중요하겠습니다.

운동 중에서도 특히 근육 운동이 중요한데요. 그 이유는 근력 운동을 할 때 분비되는 마이오카인이라는 호르몬 때문입니다. 이 호르몬은 혈액을 타고 온몸을 돌면서 염증 물질을 잡아주고 건강한 피부를 유지시켜줍니다. 그뿐만 아니라 인슐린의 효율성도 높여주어 혈당을 낮춰주고, 지방 조직에서는 지방을 분해하는 작용도 하기 때문에 마법의 호르몬이라 불리기도 합니다.

▷ 임재영 교수(재활의학과 전문의): 아쉽게도 근감소증을 치료할 수 있는 치료제는 아직까지는 없습니다. 과거에 골다공증도 마찬가지였습니다. 그렇지만 골다공증은 치료제가 개발이 돼서 지금 활발하게 우리가 약물

치료를 하지 않습니까? 미래에는 근감소증도 치료제가 나올 거라고 지금 예상은 하고 있습니다.

지금 현재 우리가 할 수 있는 가장 적극적인 방법은 환자의 진단 과정 중에서 나타난 문제들에 따라서 거기에 맞춰서 적절한 재활 방법 또는 꾸준한 운동, 영양 부분에 대한 부족한 부분에 대해서 특히 단백질 중심의 영양 섭취 등을 하고요. 그다음에 관련된 여러 만성질환이 있기 때문에 그 만성질환에 대한 관리를 제대로 잘 하는 거죠. 이러한 방법들이 현재 할 수 있는 최선의 근감소증 치료 방법이 되겠습니다.

<유튜브 EBS 컬렉션 - 사이언스>

앞에서 언급되었던 "우리의 근육은 30대의 정점에 도달하게 되는데요. 그다음엔 한 해에 약 1 퍼센트씩 자연 감소해 80세가 되면 30대의 약 50퍼센트만 남게 됩니다."라는 말처럼 근감소증이라는 질병이 자연스럽게 생기기에 근감소증을 줄이기 위한 학습, 연습, 훈련을 해야 하다는 것이다.

스마트폰 배터리도 사용하지 않고 가만히만 두어도 배 감소(배터리 감소)가 되듯이 리더십 근육도 근감소증처럼 자연적으로 감소가 된다. 리더십 근육만 근감소가 되는 것이 아니라 사람이 하는 모든 것들이 근감소가 된다.

20,000명 심리 상담, 코칭 하면서 알게 된 것은 사람들이 인생이 힘들고 불행한 이유들이 각자의 근감소를 겪고 있어서다. 행복 근감소, 사랑 근감소, 인간관계 근감소, 자존감 근감소, 자신감 근감소, 자기관리 근감소, 자기계발 근감소, 멘탈 근감소, 습관 근감소, 긍정 근감소... 등 자연적으로 근감소가 되는 것도 있지만 외부로부터의 근감소 보다 자기 자신이 근감소 시킨다는 것을 대부분 모른다.

행복 근육, 사랑 근육, 인간관계 근육, 자존감 근육, 자신감 근육, 자기관리 근육, 자기계발 근육, 멘탈 근육, 습관 근육, 긍정 근육... 등 학습, 연습, 훈련으로 근육 단련을 해야 하는데 눈에 보이는 근육이 아니기에 가장 중요한 근육을 가장 하찮게 취급해 버리는 사람이 90%다.

20,000명 심리 상담, 코칭을 해보면 뒤늦게 행복 손실증, 사랑 손실증, 인간관계 손실증, 자존감 손실증, 자신감 손실증, 자기관리 손실증, 자기계발 손실증, 멘탈 손실증, 습관 손실증, 긍정 손실증... 등에 합병증이 생겨 망가질 때로 망가진 상태에서 치료하는 사람들이 있다.

마음 식스펙, 마음 근육을 들어 본적이 있는가? 20,000명 심리 상담, 코칭 하면서 알게 된 것은 마음 근육이 많은 사람들은 고난, 역경, 불행이 닥쳤을 때 회복력이 빠르고 마음 후유증이 없었다. 마음 근육이 부족한 사람들은 고난, 역경, 불행이 닥쳤을 때 회복력이 느리며 마음 후유증까지 있었다. 한마디로 마음 식스펙, 마음 근육은 회복탄력성을 높게 한다는 것이다.

다음은 하버드대학교 수업에서 하고 있는 회복탄력성 지수 테스트로 자신의 마음 식스펙, 마음 근육 상태를 파악해 보길 바란다.

나의 회복탄력성 지수는?
이 책을 기반으로 만든 회복탄력성 지수 테스트이다. 아래의 문항을 읽고 점수를 매겨보자.
(매우 그렇다: 5점, 그렇다: 4점, 보통이다: 3점, 그렇지 않다: 2점, 전혀 그렇지 않다: 1점)

1. 새로운 일이 주어져도 잘해낼 자신이 있다. [ ]
2. 실패를 통해서도 배우고 다음에 접근 방식을 바꾼다. [ ]
3. 일이 계획대로 진행되지 않아도 불안해하지 않는다. [ ]
4. 내 주변에는 고민을 터놓을 친구나 동료가 있다. [ ]

5. 어떤 상황이든 나 자신을 용납한다. [ ]

6. 한 번 시작한 일은 끈기 있게 밀고 나간다. [ ]

7. 스트레스를 해소하는 나만의 방법이 있다. [ ]

8. 나만을 위한 시간을 따로 갖는다. [ ]

9. 미래에 대해 긍정적으로 생각한다. [ ]

10. 내가 통제할 수 없는 문제들은 걱정하지 않는다.
    [ ]

11. 도움을 청하는 것은 약점이라고 생각하지 않는다.
    [ ]

12. 삶에 변화가 생기면 그에 맞게 생각을 바꾸려 한다.
    [ ]

13. 감정적인 문제가 대인관계나 일을 방해하지 않는다.
    [ ]

14. 감사해야 할 일이 많다. [ ]

15. 나는 평소 '아니오'보다는 '예'라고 자주 말한다. [ ]

16. 나는 언제나 사랑받는 사람이다. [ ]

점수 총합: _____점

16~37점

회복탄력성이 비교적 낮은 편이다. 현재 자신감이 없거나 미래를 비관할 수도 있다. 스트레스를 받아도 해소할 방법이 없고 통제 불가능한 일인데도 내 방식대로 해결하려고 애쓰는 편이다. 하지만 포기하지 말자. 이 책과 함께 바로 지금 작은 변화부터 시작해보자.

38~59점
회복탄력성이 높지는 않지만 개선의 여지는 충분하다. 아마도 내면의 힘을 더욱 키워야 할 수도 있다. 6가지 마음 근육 중에 자신에게 부족한 것이 무엇인지 살펴보고 이 책에서 제시하는 훈련 방법에 집중한다면 회복탄력성을 얼마든지 높일 수 있다.

60~80점
회복탄력성이 비교적 높은 편이다. 당신은 스트레스를 잘 해소하고 사고방식이 유연하며 대인관계가 원만한 사람이다. 분명한 목표를 가지고 있고 매사에 긍정적이며 어떤 도전도 기꺼이 받아들인다.
《하버드 회복탄력성 수업》

회복탄력성 지수가 낮게 나왔는가? "그럼 그렇지. 난 안돼!" 회복탄력성 지수가 높게 나왔는가? "역시 믿어. 의심치 않았어." 낮게 나온 사람들에게 희망을 주겠다.

"회복탄력성은 학습, 연습, 훈련을 어떻게 하느냐에 따라서 언제든지 높일 수 있다."

높게 나온 사람들에게는 긴장감을 주겠다. 회복탄력성이 한번 높게 나왔다고 평생 유지되는 것이 아니다.

"스마트폰 배터리를 사용하지 않아도 소모가 되듯 회복탄력성도 숨만 쉬어도 소모(낮아진다)가 되기에 회복탄력성 학습, 연습, 훈련을 꾸준히 해야 된다는 것임을 명심해야 한다!"

필자는 회복탄력성 지수가 80점 만점에 77점이 나왔다. 회복탄력성 지수가 세계 최강인데도 회복탄력성 지수는 숨만 쉬어도 소모된다는 것을 알기에 회복탄력성 지수를 유지하기 위해 회복탄력성 지수 학습, 연습, 훈련하는 방법 320가지를 45년 동안 하고 있다는 것이다.

특히 리더는 마음 근육, 마음 식스펙, 회복 탄력성, 리더십 근육 단련이 잘 되어 있어야 하고 리더십 식스펙 학습, 연습, 훈련 꾸준히 해야 한다. 그래서 세계 최초로 리더십 식스펙을 만드는 핵심 7요소를 공개한다.

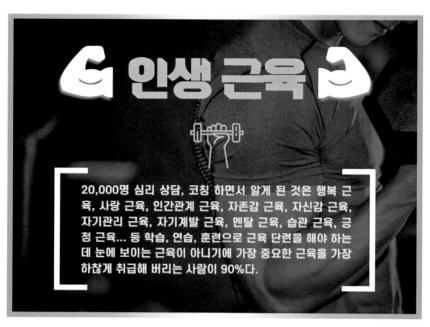

인생 근육

20,000명 심리 상담, 코칭 하면서 알게 된 것은 행복 근육, 사랑 근육, 인간관계 근육, 자존감 근육, 자신감 근육, 자기관리 근육, 자기계발 근육, 멘탈 근육, 습관 근육, 긍정 근육... 등 학습, 연습, 훈련으로 근육 단련을 해야 하는데 눈에 보이는 근육이 아니기에 가장 중요한 근육을 가장 하찮게 취급해 버리는 사람이 90%다.

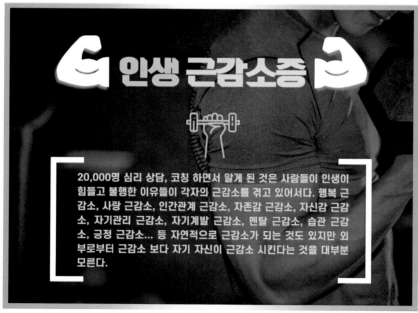

인생 근감소증

20,000명 심리 상담, 코칭 하면서 알게 된 것은 사람들이 인생이 힘들고 불행한 이유들이 각자의 근감소를 겪고 있어서다. 행복 근감소, 사랑 근감소, 인간관계 근감소, 자존감 근감소, 자신감 근감소, 자기관리 근감소, 자기계발 근감소, 멘탈 근감소, 습관 근감소, 긍정 근감소... 등 자연적으로 근감소가 되는 것도 있지만 외부로부터 근감소 보다 자기 자신이 근감소 시킨다는 것을 대부분 모른다.

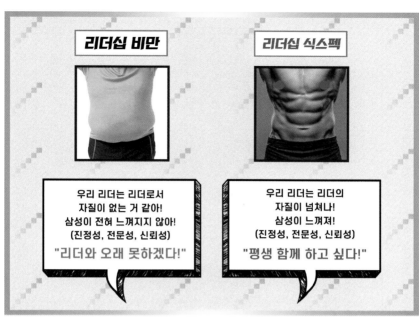

리더십 식스팩 구성 요소를 알기 전에 먼저 식스팩에 장담점과 구성요소를 알아야 한다. 다음은 식스팩에 대한 구성요소 설명이다.

식스팩
복근 중에서도 잘 발달되어 6~8개 정도의 근육뭉치가 겉으로 보기에도 두드러지게 돌출될 정도로 드러난 것을 일컫는 영어 단어이다. 복근이 극한으로 발달하면 마치 王과도 같은 근육을 볼 수 있기에 "배에 왕(王) 자가 새겨져 있다"라고도 한다.

왕자가 생기는 이유는 근육 세포만 자라고 힘줄은 자라지 않기 때문.

빨래판 복근이라고도 하는데 washboard abs를 직역한 것이고 요즘은 초콜릿 복근이라고 한다. 몸짱의 상징이기도 하며, 남성 아이돌 가수들의 기본탑재품인 듯하다. 이에 한 중견가수는 가수가 노래는 안 부르고 복근만 만든다고 한 번 깐 적이 있다. 특히 보디빌더들에게는 기본 옵션이다.

많은 남자들이 가지고 싶어 하지만 가지기 힘든 근육. 열심히 운동해 근육질이 된 사람의 배에 새겨지는 문양. 복근 형태상 운동을 하여 발달하면 각이 잡히게 된다. 남녀노소 불문 공통. 일단 근육 운동을 통해 복근의 크기를 키우는 것이 먼저이지만, 무엇보다도 체지방을 줄이는 게 가장 중요하다.

아무리 복근이 커도, 체지방이 그 위를 둘러싸고 있다면 작은 근육인 복근은 좀처럼 드러나지 않는다. 무거운 걸 들어야 하는데 복근 포함한 근육 없이 가능할 리가 없잖은가? 의심 간다면 물이 꽉 찬 생수통(1.8liter 6병 묶음이라든가 18liter) 같은 걸 들어보라. 배(복근)가 압력을 버텨주지 못하면 못 든다. 여기서 역도의 경우 몸무게가 100kg 넘어가는 선수들이 통통한 건 맞지만 그 이하의 체급들은 역도 경기복 속에 식스팩이 보일정도로 체지방을 감량한다. 무제한급을 제외하고 몸무게 대비 무거운 중량을 드는 것이 목적이지 그냥 무거운 걸 드는 게 목적이 아니다.

2010년대에 들어 고도비만 선수투성이이던 씨름은 전반적인 체급이 현실적으로 재조정되면서 식스팩을 가진 선수들이 적지 않게 됐다. 다시 말해 식스팩을 드러내기 위해서는 열심히 운동해서 근육도 키우고, 체지방률도

10% 이하로 낮추면 된다. 수술로 만드는 방법도 있다고 한다. 유명인 사례에선 드웨인 존슨이 지방 흡입 수술로 근육을 드러내고 있다.

근육량은 어마어마하지만 폴리네시안 특유의 지방 때문에 근육이 잘 드러나지 않기 때문이다.
이 복근의 모양은 사람마다 달라서 비대칭으로 갈라진 모습이 생기는 사람도 있다. 이런 건 타고 나는 거라서 현대의학으로도 어쩔 수가 없다. 이런 걸 짝복근이라고도 부른다.

8개의 뭉치로 드러난 경우도 많은데, 에잇팩이라고도 간혹 불린다.특히 여성의 경우에는 식스팩을 만들기가 상당히 어렵다. 근육 자체도 작고 키우기 힘든 데다가 체지방률이 남성에 비해 높기 때문이다.

쉽게 생각하고 무모하게 도전할 일은 아니다. 여성의 경우 운동을 많이 한 사람도 좌우 두 개의 11자 복근(혹은 내 川자 복근)이나 아래위로 나뉜 포팩 정도가 대부분이다. 물론 체질마다 다르며, 피트니스 트레이너 등의 경우 희미하게나마 식스팩이 드러나는 경우도 있다.

<나무위키>

식스펙, 에잇팩을 보면 화려하고 멋있어 보인다. 순간 자신도 만들고 싶다는 충동이 생기기도 한다. 화려하고 멋있어 보이는 것들은 쉽게 만들어지지 않는다는 것을 누구나 알 것이다. 그런데 몸에 무리가 가는지도 모르고 무리하게 식스펙, 바디프로필을 만들기 위해 몸을 망가뜨리는 사람들이 많아지고 있다. 다음은 식스펙, 바디프로필을 만들기 위해 자신의 몸이 망가져서 힘들어하는 사람들의 안타까운 현실을 깨닫게 해주는 식스펙, 바디프로필의 장단점 내용이다.

"바디프로필? 그땐 살짝 돌았었죠"…모두 유이(애프터스쿨 출신 배우)가 될 순 없어

"그땐 살짝 돌았었다."
박수정씨(37세, 여, 이하 가명)는 직장을 다니며 지난해 5월 바디프로필을 촬영했을 당시를 이같이 회고했다. 매일 시간을 쪼개 2~3시간씩 운동을 하고, 식단관리까지 했던 시절을 한 마디로 요약한 것이다.

지난달 24일부터 지난 2일까지 '찐터뷰'를 통해 자신의 바디프로필 경험담을 전해준 인터뷰이 10명의 증언도 비슷했다. '미친듯한 노력'이라는 말이 적잖게 나왔다. 연예인이라고 다르지 않았다. 50대(1971년생)의 나이로

바디프로필을 촬영해 놀라움을 준 방송인 홍석천씨는 "정말 빡세게, 미친놈처럼 몸을 만들었다"며 웃었다.

그럼에도 불구하고 그들이 이 힘든 프로젝트를 완수한 것은 그저 '사진 한 장' 때문이 아니었다. 바디프로필을 준비하는 과정에서 자존감이 올라가고 성취감이 생기는 등, 긍정적 영향을 온 몸으로 체득한 덕이었다. 힘든 준비과정이 행복했다고 말한 사람도 있었다. 거의 모든 인터뷰이들이 바디프로필 촬영 이후 운동을 하는 게 더 좋아졌다고 언급하기도 했다.

하지만 무턱대고 바디프로필 촬영에 뛰어드는 것은 경계해야 한다. 보람된 과정과 결과가 있음에도 혹독한 시간을 보내야 한다는 점은 변하지 않는다. 무엇보다 자신의 체형과 스타일에 맞는 바디프로필 촬영을 해야 한다. 모두가 유이나 줄리엔 강 같은 몸으로 바디프로필을 찍을 순 없다.

박여빈씨(28세, 여)는 "바디프로필 촬영은 정말 나 자신과 수천, 수만 번 싸우게 된다"며 "그러니 꼭 자기 자신의 변화되는 모습을 사랑할 수 있을 때, 변화가 더디더라도 나 자신을 응원할 수 있을 때, 시간적인 여유가 있을 때 도전했으면 좋겠다"고 말했다.

바디프로필을 찍기 위해 얼마나 힘든 과정이 있고 현실적인 어려움이 있는지, 왜 몸과 마음이 준비가 됐을 때 준비를 하는 게 좋은 것인지를 인터뷰이들에게 물어봤다. 몇가지를 정리하면 다음과 같았다.

시간과 돈을 잡아먹는 바디프로필
바디프로필을 찍기 위해 보통 3~6개월 정도의 시간이 소요된다. 단기로 2개월 정도에 끝내는 사람들도 있기는 하다. 본격적인 준비가 시작되면 주 6~7일 동안 최소 하루 2~3시간씩 운동을 하게 된다. 회사를 다니면서 이런 시간을 뺀다는 것은 보통 일이 아니다. 자칫 잘못하면 일과 운동, 그리고 가정생활 사이의 밸런스가 깨질 수도 있다. 비용 문제도 만만찮다. 단순 몸 만들고 사진 찍는 과정이 아니기 때문. 체육관 등 운동을 하는데 필요한 비용을 제외하고도 100만원 정도가 더 든다고 경험자들은 말한다. 촬영을 할 때 몸을 만드는 것 외에도 의상, 헤어, 메이크업, 태닝 등에 돈이 들기 때문이다. 헤어와 메이크업이 포함된 스튜디오 가격만 40만~50만원 대에 달하는 게 보통이다.

악몽의 식단관리…"폭식하면 자괴감"
바디프로필을 찍는 데 있어 가장 힘든 과정은 대다수가 '식단'이라고 한다. 일명 닭고야(닭가슴살, 고구마, 야채)

를 비롯해 바나나, 생선, 현미밥 등 위주로 소식을 하게 된다. 촬영일이 가까워질수록 수분 섭취도 줄인다. 촬영 당일에는 아예 물도 먹지 않는다. 근육을 피부에 딱 붙게 만들어주기 위해서다. 기본적으로 적게 먹는 와중에 탄수화물을 거의 끊은 상태여서 제정신이 아니라는 후문.

박수정씨는 "바디프로필 식단은 아무래도 체지방을 극단적으로 줄이는 데 맞춰져 있다. 몸이 요구하는 양보다 훨씬 적게 먹게 된다"며 "원하는 속도만큼 체지방이 줄어들지 않으면 더 조바심이 난다. 계획한 양보다 적게 먹는 경우도 많았다. 그러다 보면 폭식 아닌 폭식을 하게 되는 날이 왔다. 그럴 때 오는 자괴감이 제일 힘들었다"고 말했다.

임영주씨(35세, 여)는 "식단을 조절하다 보니 몸에 에너지가 부족하여 무기력함으로 회사 업무에 집중하기가 힘들었다. 감정 조절이 잘 안 되고 많이 예민했다"며 "이유없는 우울 또는 화를 자주 견뎌야 했다. 주변 사람들에게 피해를 주지 않기 위해 아무렇지 않은 듯 일상을 버티는 것이 가장 괴로웠다"고 설명했다.

"예쁘지만 건강하지 못한 상태를 사진으로 찍는 것"

먹는 게 부실해지는 와중에 운동을 하게 되면 당연히 건강에 문제가 생긴다. 바디프로필을 찍는 몸 상태 자체는 보기에는 아름답지만, '건강함'과 거리가 먼 상태라는 게 모두의 지적이다. 당연히 그 상태를 계속 유지하는 것도 불가능하다. 바디프로필을 '순간의 포착'으로 남기고, 지속가능한 몸관리법을 찾아야 하는 이유다.

평소에도 운동을 생활처럼 하다가 바디프로필을 찍었다는 두 남성에게 '바디프로필용 신체'에 대한 질문을 했더니 다음과 같은 답이 나왔다.

"지속 불가능한 신체다. 생리학적으로도 매우 건강하지 못한 상태다. 준비를 하다가 보면 먹지를 못하니까 짧은 시간에 칼로리를 많이 소비할 수 있을 정도의 운동도 할 수 없다. 부정적인 의미로 보면 굉장히 건강하지 못한 상태를 사진으로 찍는 것이다."(김성현씨, 37세)

"몸을 만든다기 보단 지방을 극한으로 빼는 다이어트를 한다. 건강보단 기록이 우선적이다. 남성이나 여성이나 체지방이 어느정도 아래로 떨어지면 몸에 대한 부작용(남성은 발기부전, 여성은 생리불순)이 표출되기 마련이다."(유상운씨, 29세) 생리불순에 폭식증까지 결국 바디프로필 후유증에 시달리는 이들이 생길 수밖에 없다.

여성들 다수가 바디프로필을 하며 생리가 끊기는 상황을 경험했다고 밝혔다. 실제 '바디프로필 후유증'을 겪었던 백다윤씨(29세)의 말을 들어보자.

"무월경이 힘들었다. 산부인과에 가서 유도제 주사도 맞았다. 극단적인 식단관리를 하게 되면 생리가 끊긴다고 들었는데, 그게 내가 될 줄은 몰랐다. 바디프로필 촬영 끝나자마자 산부인과 예약을 잡아 치료를 받았는데, 지금도 무월경인 상태다. 지금은 또 이 삶에 적응이 된 것 같다."

"촬영 이후, 먹지 못했던 음식들에 대한 욕망으로 폭식을 정말 많이 하게 되더라. 촬영 이후 20kg 이상 살이 쪘다. '아니, 힘들게 살을 뺐는데 저런 걸 어떻게 먹어?'라며 폭식증에 걸린 사람들을 속으로 비웃었고, 자만했다. 그런데 내가 거의 주3회 이상 단당류를 먹고, 맵고 짠 것들 먹게 되더라. 난리도 아니었다. 지금은 감량 중이다."

나만의 기준을 세우고, 충분한 준비 후 도전.
중요한 것은 '자신에게 맞는 수준'의 바디프로필 촬영에 도전하는 것이라고 경험자들은 입을 모은다. 보통 바디프로필을 찍을 때 남성의 경우 체지방률 5~10%, 여성은 10~15%를 목표로 둔다. 그런데 무리하게 체지방에 집착하다가는 본인의 건강만 해치고, 정작 촬영이 끝난 다음 후유증이 심각해질 수 있다는 것.

이유나씨(38세, 여)는 "내 경우는 체중을 3kg 밖에 안 뺐다. 그래서인지 요요현상도 오지 않았다"고 했다. 그러면서도 "다른 사람의 말에 휩쓸리지 않고 찍는 게 좋을 것 같다. 남에게 보여주기가 아니라, 내가 이정도까지 몸상태를 끌어올렸다는 것, 그 수준이면 좋을 것 같다"고 설명했다.

김성현씨는 "무조건 체지방 10% 이하 이런 공식이 아니라, 내가 즐기는 운동을, 내가 가장 빛나는 순간을, 나의 몸을 당당하게 사진으로 포착하여 남긴다는 의미로 바디프로필 문화가 자리잡았으면 하는 바람이 있다"고 밝혔다. 유상운씨는 "운동을 꾸준히 해왔던 사람이라면 추천하겠지만, 하지 않던 사람이 무작정 '찍고 싶다'고 한다면 1~2년 정도 운동하는 습관을 들이고 도전해보라고 전해주고 싶다"고 조언했다.

서이선씨(32세, 여)는 "마른 몸을 최고라고 생각하고, 낮은 체지방률만을 목표로 하는 것은 지양해야 한다고 본다"며 "일반인의 바디프로필이 일회성 이벤트가 아니라 개인에게 맞는 건강한 몸을 찾고, 그 몸을 찾는 과정을 남기는 것이라는 분위기가 자리 잡혔으면 좋겠다"고 말했다.

<머니투데이>

바디프로필 후유증에 대해 알고계신가요? 폭식증 부종 우울증 거식증
인생에 한 번뿐인 가장 적은 체지방 그리고 높은 근육량으로 바디프로필을 찍는 사람들이 늘어나고 있습니다. 그러나 바디프로필 후유증을 호소하는 사람들이 매우 많은데요. 바디프로필 후유증은 대표적으로 요요현상, 스트레스, 강박관념이 있습니다. 가장 최상의 몸 상태를 만든 후 다시 원래대로 돌아오는 과정에서 겪는 스트레스는 상당한데요. 오늘은 바디프로필의 후유증과 건강하게 살을 빼는 방법에 대해 알아보도록 하겠습니다.

먼저 바디프로필이란 단순히 자신의 몸을 찍는 것이 아닌 열심히 운동해 근육을 가꿔 건강하게 보이는 사진을 남기는 것이 핵심입니다.
단기간에 성공했다는 성취감을 남길 수 있는데요.
그러나 2~3개월 동안 준비 기간을 가지게 되는데 이때 필수 영양소를 섭취하지 않기 때문에 문제가 발생하게 됩니다.

보통 2~3개월 동안 체지방 10% 만들기를 도전하는데 촬영 전까지 운동을 하며 지방, 나트륨, 탄수화물 섭취를 줄이며 단백질 중심 저열량 식사를 하게 됩니다. 남성의 경우 5~10%의 체지방률을 여성은10~15%의 체지방률을 만들게 되는데요. 성인의 정상 체지방률은 남성 15~20%, 여성 20~25%입니다. 정상 체지방률에 비해 한참 밑도는 수치로 무리하게 몸을 만들게 되며 촬영이 다가오면 수분 섭취량을 조절하는데요. 체표면을 건조하게 만들어 근육이 도드라지게 보이기 위해서입니다. 일주일 전부터 물의 섭취 양을 줄이고 하루 전부터는 물을 아예 섭취하지 않게 됩니다. 우리의 몸에서 지방은 매우 중요한 주요 영양소인데요. 체지방량이 적어지면 폭식증으로 이어지기 쉽습니다.

식욕은 음식을 섭취해 배가 찬 것만으로 줄어들지 않으며 여러 인자가 작용해 조절되는데요. 그중 하나가 렙틴을 분비하는 것입니다. 바디프로필을 위해 근육량은 늘리게 되는데 근육은 식욕을 촉진하는 호르몬이 나오게 됩니다. 급격하게 살을 빼는 경우 근육을 단련하며 식욕이 왕성해지고 폭식증으로 이어질 수 있는데요. 급격하게 체지방을 줄이게 된다면 뇌경색, 담석증 발병 위험이 높아지게 됩니다.

여성은 체지방률이 20~22%로 떨어지면 바디프로필 후유증인 무월경, 생리불순 증상이 나타날 수 있고 지방 섭취를 절반으로 줄일 때마다 여성은 에스트로겐 수치가 20%씩 낮아지게 됩니다. 또한 평소 운동량에 비해 무리한 운동을 하게 된다면 관절염, 하지정맥류의 원인이 되는데요. 근력 강화 운동 등과 같은 고강도 운동을 할 때 하체에 힘이 쏠리게 되는데 이는 다리에 가해지는 압력을 높이고 혈액순환을 방해하게 됩니다.

무릎 통증도 주의가 필요합니다. 웨이트, 스쿼트 등의 운동을 잘못된 자세로 하게 된다면 무릎에 과하게 체중일 실리고 큰 무리로 될 수 있습니다. 자존감을 올리기 위해 시작한 바디프로필 준비는 오히려 마른 몸에 대한 집착과 요요현상으로 인해 자존감이 하락할 수 있으며 바디프로필 후유증으로 인해 음식에 생긴 집착과 과식, 폭식과 같은 후유증의 감정을 다스리는 것이 필요한데요. 이러한 폭식증은 의지의 문제가 아닌 감정의 문제로 심리 상담을 통한 치료가 필요합니다.

또한 바디프로필 촬영을 위해 식욕억제제 등을 찾는 사람들이 많아지고 있는데요. 바디프로필 후유증 없이 건강하게 촬영하기 위해서는 꾸준히 무리하지 않은 다이어트를 통해 진행하며 체지방률이나 인바디 수치에 집착하기보다는 거울을 통해서 몸을 확인해 눈바디에 중점을 두어야 합니다.

바디프로필 후유증 없이 건강하게 체중조절을 하는 방법에 대해 알아보겠습니다.

1.초절식은 금지, 균형 잡힌 식단
극도로 탄수화물을 제한하게 된다면 우리 몸은 이상이 생긴 것으로 인지하게 되는데요. 초절식이 아닌 일반식으로 균형 잡힌 식단이 필요합니다. 무리하게 식욕을 참는다면 이는 폭식증을 유발할 수 있습니다.

2. 일기 쓰기
식단을 기록하며 실패 원인과 폭식을 분석하고 다음에 절제하기 쉽고 스스로 칭찬, 격려하며 심리적인 부담감을 덜고 목표를 위해 나아가시길 바랍니다.

3. 루틴 만들기
러닝 후 명상하기, 스트레칭 후 물 마시기처럼 가볍게 지킬 수 있고 내 삶을 든든하게 지탱해 주는 습관을 통해 성취감을 느낄 수 있으며 바디프로필 촬영 후 허무함을 이겨낼 수 있습니다.

4. 촬영 후 몸에 집착하지 않기
촬영 후 조금 살이 찌면 사진 속 몸으로 다시 돌아가고 싶지만 무리한 운동과 초절식 음식은 금물입니다. 촬영 후 살이 찌는 이유는 나트륨이 없어 먹는 대로 몸에 수분이 찬 것으로 조급한 마음은 더 큰 스트레스만 찾아오게 됩니다. 음식을 통해 필수 영양소를 먹어야 하지만 제한하게 되는 경우 건강한 육체를 찍겠다는 생각과 달리 건강과 멀어지게 됩니다. 이렇게 극단적인 단기간의 체중감량은 면역기능, 스트레스 호르몬, 체수분 균형 등에 부정적인 영향을 주며 무너진 면역체계를 회복하기 위해서는 더 많은 시간이 소요됩니다.

SNS에서 접하게 되는 바디프로필은 체지방률이 극도로 낮은 몸으로 건강한 몸은 체지방이 어느 정도 있는 상태의 몸인데요. 따라서 바디프로필 상태의 몸을 계속 유지하는 것은 힘들고 그렇게 한다고 해서 건강한 몸을 가지는 것이 아닌데요. 인생의 사진을 남겼다는 점에 만족하고 체지방 증가를 자연스럽게 받아들이며 자신의 몸에 맞는 운동을 꾸준히 하는 것이 좋습니다. 바디프로필 촬영 후 폭식증, 부종, 우울증, 거식증 등의 문제를 겪고 있다면 상담이 필요한데요. 이와 같은 후유증을 겪고 있다면 상담을 통해 극복해 보시길 바랍니다.
<성모 정신건강의학과의원>

첫 번째 사례는 바디프로필을 만들었던 경험자들의 내용 중에 "예쁘지만 건강하지 못한 상태를 사진으로 찍는

것"라는 말이 안타까운 바디프로필 현실을 말해주었고 두 번째 사례는 바디프로필의 후유증의 무서움과 바디프로필 후유증 없이 건강하게 체중조절을 하기 위한 방법을 제시한 내용이었다.

바디프로필을 찍지 말라고 말을 하는 것이 아니다. 오늘은 자신 인생에 가장 젊은 날이다. 가장 젊은 나이에 누구나 할 수 있지만 아무나 할 수 없는 바디프로필을 만든 다는 것은 자신의 인생에서 가장 큰 업적을 남기는 것일 수 있고 대대손손 누구에게나 자랑하고 싶은 엄청난 결과일 것이다. 하지만 연예인, 헬스 트레이너 바디프로필의 3혹[유혹, 현혹, 화혹(화려함에 혹하지 말라)] 되어 단시간에 바디프로필을 만들기 위해 몸을 망친다면 세상에서 가장 불행하고 멍청한 사람일 것이다.

20,000명 심리 상담, 코칭 하면서 알게 된 것은 리더십 식스팩은 식스팩, 바디프로필처럼 이벤트처럼 한번 만들고 끝나는 것이 아닌데 한번의 리더십 강의, 책, 교육 영상, 코칭으로 만들어 지기를 바라는 사람들이 많다는 것이다. 올바른 바디프로필 만드는 방법이 있듯이 올바른 리더십 식스팩을 만들기 위한 방법을 세계 최초 공개하겠다! 세계 최초 리더십 식스팩 만드는 7단계 시작한다! 집중!

리더십 식스펙 만드는
7단계 시스템!

코칭 식스펙

자기계발 식스펙

행복 식스펙

습관 식스펙

멘탈 식스펙

자존감 식스펙

리더십 식스펙 본질

식스펙은 1달 지속 되지만
리더십 식스펙은 100년 지속 된다!

리더십 식스펙

(앞서가는 리더는 리더십PT 받는다!)

 리더 근육

숨만 쉬어도 근손실!(근육 손실)
숨만 쉬어도 리손실!(리더십 손실)

식스펙은 1달 지속 되지만
리더십 식스펙은 100년 지속 된다!

앞서가는 리더는 리더십 PT한다!

방탄자기계발사관학교 홈페이지 무인시스템

방탄자기계발사관학교 소개
1,000,000원

구매하기

PPT로 책 쓰기, 책 출간
200,000원

구매하기

자신 분야 6가지 수입을 창출 방법
200,000원

구매하기

방탄 사랑 사랑 사용 설명서 사랑도 스펙이다
200,000원

구매하기

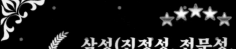

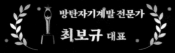

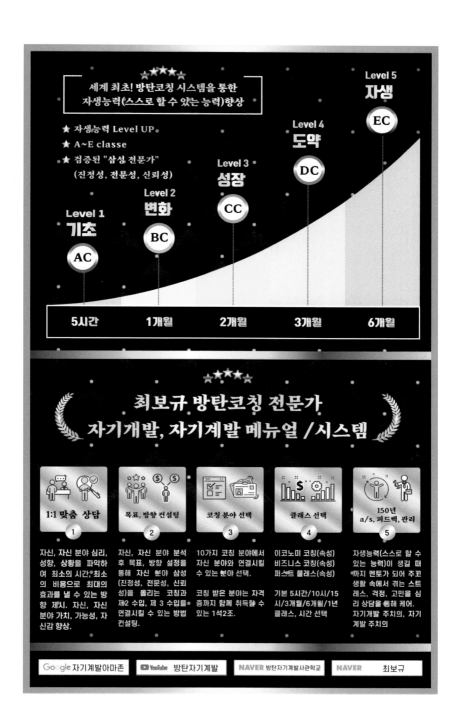

351

★ ★ ★ ★ ★

검증된 전문가 교육시스템

회원제를 통한 맞춤 학습, 연습, 훈련
오프라인 전문상담사가 검진 후 특별맞춤 학습, 연습, 훈련

검증된 강사코칭 전문가

세계 최초 강사 백과사전
강사 사용설명서를 만든 전문가!
150년 A/S, 관리,해주는 책임감!

검증된 책 쓰기 전문가 100권

행복히어로
나다운 강사 1, 2
나다운 방탄멘탈
나다운 방탄습관블록
나다운 방탄 카피 사전
나다운 방탄자존감 명언 I , II
방탄자기계발 사관학교
자기계발코칭전문가 1,2,3,4,5,6
나다운 방탄리더십 1,2,3,4,5
외 100권

검증된 자기계발 전문가

방탄행복 창시자!
방탄멘탈 창시자!
방탄습관 창시자!
방탄자존감 창시자!
방탄자기계발 창시자!
방탄강사 창시자!
방탄리더십 창시자!

검증된 상담 전문가

20,000명 심리 상담, 코칭!
독학하기 힘든 자자자자멘습금
(자존감, 자신감, 자기관리, 자기계
발, 멘탈, 습관, 긍정)
1:1 케어까지 해주며 행복 주치의가
되어주는 전문가!

★ ★ ★ ★ ★

강력추천

이런 사람들 반드시 상담, 코칭 받으세요!

현재 상황에 가장 필요한 것을 상담 후 가장 효율적인 시스템을 적용합니다.

**변화, 성장, 배움, 행동
동기부여, 셀프케어**

①

자신분야 전문성

(진정성, 전문성, 신뢰성)

②

**자신분야 자동
시스템(돈) 연결**

③

지금처럼이 아니라 지금부
터 다시 시작하고 때를 기
다리는 사람이 아닌 때를
만들고 싶은 분

경력은 스펙이 아니다! 자
신 분야 차별화로 부케릭
터를(부업)만들어 자신 몸
값을 올리고 싶은 분

움직이지 않아도 자동으로
돌아가는 돈 버는 시스템
을 만들고 싶은 분

352

Best 6

검증된 방탄 PT 분야

방탄 강사 방탄 PT

5

<저자 최보규>

자격증 발급기관

앞도적 차이를 만드는 방탄 PT!
앞서가는 강사는 방탄 PT 받는다!

- ☑ 강사 7대 의무교육 PT
- ☑ 강사 인성, 매너 PT
- ☑ 강사 품위유지의무 PT
- ☑ 강사1~3년차 PT
- ☑ 강사 3~10년차 PT
- ☑ 강사 10~20년차 PT
- ☑ 강사료 UP PT
- ☑ 비수기 극복 PT

- ☑ 강사 스킬UP PT
- ☑ 강사 SPOT 기법 PT
- ☑ 강사 스토리텔링 기법 PT
- ☑ 강사, 작가 트레이닝 PT
- ☑ 강사 양성 매뉴얼 제작 PT
- ☑ 강의 분야 개발 PT
- ☑ 강사 코칭 시스템 제작 PT
- ☑ 강의 영상 제작 PT

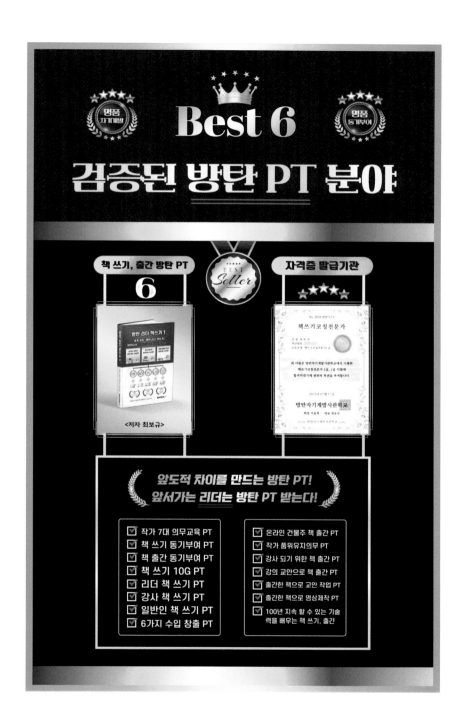

특허청 등록
최보규 자기계발코칭 창시자
등록 번호: 제 40-2072344 호

★★★★★ 차별이 아닌 초월 시스템 ★★★★★

타사와 비교불가 초월 혜택!
자신 분야 온라인 건물주가 되어 100년 수입 창출!

| Google 자기계발아마존 | ▶YouTube 방탄자기계발 | NAVER 방탄동기부여 | NAVER 최보규 |

이코노미 PT

기본 5H : 500,000원

CHECK POINT

☑ 기본 1회(1일=5H)
☑ 6가지 수입 창출 시스템 매뉴얼 설명
☑ 150년 A/S

특허청 등록
최보규 자기계발코칭 창시자
등록 번호: 제 40-2072344 호

차별이 아닌 초월 혜택

 자기계발아마존　　 방탄자기계발　　NAVER 방탄동기부여　　NAVER　최보규

이코노미 PT

기본 5H : 500,000원

- ☑ 150년 A/S (세계 최초)
- ☑ 마스터한 분야 자격증 1종 취득
- ☑ 방탄자기계발사관학교 강사 위촉
- ☑ 방탄자기계발사관학교 마스터 위촉
- ☑ 비지니스 PT 10% 할인
  (10만원 상당)
- ☑ 퍼스트클래스 PT 10% 할인
  (30만원 상당)
- ☑ 마스터한 분야 실전 2시간 강의
  교안 제공. (강사료 200만원 상당)

★★★★★ 차별이 아닌 초월 시스템 ★★★★★

타사와 비교불가 초월 혜택!
자신 분야 온라인 건물주가 되어 100년 수입 창출!

| Google 자기계발아마존 | YouTube 방탄자기계발 | NAVER 강사야 | NAVER 최보규 |

비지니스 PT

기본 5H : 500,000원

CHECK POINT

- ☑ 기본 1회(2~3일=10H)
- ☑ 6가지 수입 창출 시스템 실전 훈련
- ☑ 150년 A/S, 피드백

차별이 아닌 초월 혜택

비지니스 PT

기본 10H : 1,000,000원

- ☑ 150년 A/S, 피드백
- ☑ 마스터한 분야 자격증 1종 취득
- ☑ 방탄자기계발사관학교 전임 강사 위촉
- ☑ 방탄자기계발사관학교 전임 마스터 위촉
- ☑ 퍼스트클래스 PT 10% 할인
  (30만원 상당)
- ☑ 강사 맞춤 트레이닝 비대면 1회 제공
  (50만원 상당)
- ☑ 마스터한 분야 실전 2시간 강의 교안
  제공, 1:1 맞춤 교안 설명
  (강사료 200만원 / 1:1 맞춤 100만원 상당)

★★★★★ 차별이 아닌 초월 시스템 ★★★★★

타사와 비교불가 초월 혜택!
자신 분야 온라인 건물주가 되어 100년 수입 창출!

| Google 자기계발아마존 | ▶YouTube 방탄자기계발 | NAVER 강사야 | NAVER 최보규 |

퍼스트클래스 PT

기본 15H : 3,000,000원~

CHECK POINT

- ☑ 기본 1회(15H) / (2회 ~ 5회 선택 사항)
- ☑ 6가지 수입 창출 **자동 시스템 구축**
- ☑ 150년 A/S, 피드백, VIP맞춤 관리

⭐ 특허청 등록 ⭐
최보규 자기계발코칭 창시자
등록 번호: 제 40-2072344 호

명품 자기계발

명품 동기부여

차별이 아닌 초월 혜택

✈

 Google 자기계발아마존  ▶YouTube 방탄자기계발 NAVER 방탄동기부여 NAVER 최보규

👑 퍼스트클래스 PT

기본 15H : 3,000,000원~

☑ 150년 A/S, 피드백, VIP맞춤 관리

☑ 자격증 3종 취득 (150만원 상당)

☑ 방탄자기계발사관학교 지회장 위촉

☑ 종이책, 전자책 출간 후 네이버 인물 등록

☑ 20H, 30H, 40H, 50H PT 20% 할인

☑ 강사 맞춤 트레이닝 대면 1회 제공
  (50만원 상당)

☑ 프로필 유튜브 홍보 영상 제작
  (100만원 상당)

☑ 마스터한 분야 풀 패키지 (교안 제공, 1:1 맞춤 교안 설명, 청강 1회 제공)
  (강사료 200만원 / 1:1 맞춤 100만원 / 청강 1회 200만원 상당)

특허청 등록
최보규 자기계발코칭 창시자
등록 번호: 제 40-2072344 호

★★★★★ **차별이 아닌 초월 혜택** ★★★★★

Google 자기계발아마존 　 YouTube 방탄자기계발 　 NAVER 방탄book 　 NAVER 최보규

방탄book기술력 전문가 과정 속성 PT

기본 30H : 5,000,000원~

- ☑ 150년 A/S, 피드백, VIP맞춤 관리
- ☑ 자격증 5종 취득 (250만원 상당)
- ☑ 방탄자기계발사관학교 지회장 위촉
- ☑ 종이책, 전자책 출간 후 네이버 인물 등록
- ☑ 20H, 30H, 40H, 50H PT 20% 할인
- ☑ 강사 맞춤 트레이닝 대면 3회 제공 (150만 원 상당) / 프로필 유튜브 홍보 영상 제작 (100만원 상당)
- ☑ 방탄book기술력 코칭 전문가 MOU
- ☑ 마스터한 분야 풀 패키지 (교안 제공, 1:1 맞춤 교안 설명, 청강 1회 제공) (강사료 200만원 / 1:1 맞춤 100만원 / 청강 1회 200만원 상당)

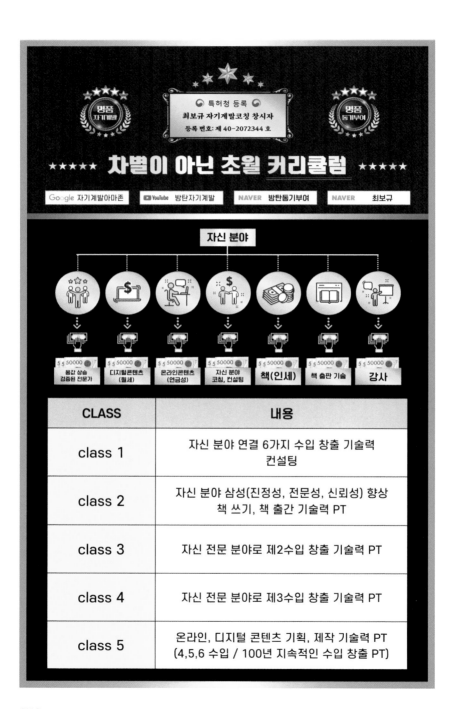

특허청 등록
최보규 자기계발코칭 창시자
등록 번호: 제 40-2072344 호

★★★★★ 차별이 아닌 초월 커리큘럼 ★★★★★

Google 자기계발아마존 ▶YouTube 방탄자기계발 NAVER 방탄동기부여 NAVER 최보규

자신 분야

| 몸값 상승 검증된 전문가 | 디지털콘텐츠 (월세) | 온라인콘텐츠 (연금성) | 자신 분야 코칭, 컨설팅 | 책(인세) | 책 출판 기술 | 강사 |

CLASS	내용
class 1	자신 분야 연결 6가지 수입 창출 기술력 컨설팅
class 2	자신 분야 삼성(진정성, 전문성, 신뢰성) 향상 책 쓰기, 책 출간 기술력 PT
class 3	자신 전문 분야로 제2수입 창출 기술력 PT
class 4	자신 전문 분야로 제3수입 창출 기술력 PT
class 5	온라인, 디지털 콘텐츠 기획, 제작 기술력 PT (4,5,6 수입 / 100년 지속적인 수입 창출 PT)

◆ 참고문헌, 출처

<훈민정음>

《부하직원이 말하지 않는 31가지 진실》박태현, 조자까, 책비, 2021

<지식백과>

<facebook.com/ggumtalk>

《지금 여기가 맨 앞》 이문재, 문학동네, 2014

《질문하는 독종이 살아남는다》김연우, 무한, 2009

<위키백과>

<나무위키>

《사람을 남겨라》정도일, 북스톤, 2015

- 삼성 이건희 회장 리더의 덕목(德目) -

《나는 나다》안오일, 푸른책들, 2014

《나다운 강사 2》최보규, 좋은땅, 2019

《내가 어리석어》오정환, 벗나래, 2017

<페이스북 페이지: 인생 공부>

<개통령 강형욱>

<꿈톡>

《에너지 버스1》존 고든, 쌤앤파커스, 2016

《조금 내려놓으면 좀 더 행복해진다》존 레인, 단한권의책, 2013

<플래닛드림>, <유튜버 누고>

《백년허리 1》정선근, 언탱클링, 2021

<손웅정 감독>

<티스토리 Tap to restart>

<손흥민 선수>

《행복히어로》최보규, 부크크, 2021

<tvN STORY 고독한훈련사>

<유튜브 강형욱의개스트쇼>

<김새별(유품정리사)>
<KBS News>
<SBS 낭만닥터 김사부3>
<KBS 대화의희열 박지성>
<유튜브 체인지그라운드>
<유튜브 동기부여학과 : 매일 듣는 성공 마인드 셋>
<유튜브 EBS 컬렉션 - 사이언스>
《하버드 회복탄력성 수업》게일 가젤, 현대지성, 2021
<나무위키>
<머니투데이>
<성모 정신건강의학과의원>

방탄리더사관학교 1
(방탄 리더 인재 양성 사관학교)

발 행 | 2024년 04월 25일

저 자 | 최보규, 서윤희

편 집 | 최보규, 서윤희

디자인 | 최보규, 서윤희

마케팅 | 최보규

펴낸이 | 한건희

펴낸곳 | 주식회사 부크크

출판사등록 | 2014.07.15.(제2014-16호)

주 소 | 서울특별시 금천구 가산디지털1로 119 SK트윈타워 A동 305호

전 화 | 1670-8316

이메일 | info@bookk.co.kr

ISBN | 979-11-410-8147-8